LA RUTA DE
DON QUIJOTE

AZORÍN

LA RUTA DE
DON QUIJOTE

OCTAVA EDICIÓN

EDITORIAL LOSADA, S.A.
BUENOS AIRES

Edición expresamente autorizada para la
BIBLIOTECA CLÁSICA Y CONTEMPORÁNEA

Queda hecho el depósito que previene la ley 11.723

*Marca y características gráficas registradas
en la Oficina de Patentes y Marcas de la Nación*

© Editorial Losada, S. A.
Alsina 1131,
Buenos Aires, 1938

Octava edición: 30 - VIII - 1974

Ilustró la cubierta
SILVIO BALDESSARI

IMPRESO EN LA ARGENTINA
PRINTED IN ARGENTINA

Este libro se terminó de imprimir
el día 30 de agosto de 1974
en los talleres de AMÉRICALEE S. R. L.
Tucumán 353, Buenos Aires.

La edición consta
de diez mil ejemplares

DEDICATORIA

Al gran hidalgo don Silverio, resi-
dente en la noble, vieja, desmoronada
y muy gloriosa villa de El Toboso;
poeta autor de un soneto a Dulcinea;
autor también de una sátira terrible
contra los frailes; propietario de una
colmena con una ventanita, por la que
se ve trabajar a las abejas.

AZORÍN

I
LA PARTIDA

Yo me acerco a la puerta y grito:

—¡Doña Isabel! ¡Doña Isabel!

Luego vuelvo a entrar en la estancia y me siento con un gesto de cansancio, de tristeza y de resignación. La vida, ¿es una repetición monótona, inexorable, de las mismas cosas con distintas apariencias? Yo estoy en mi cuarto; el cuarto es diminuto; tiene tres o cuatro pasos en cuadro; hay en él una mesa pequeña, un lavabo, una cómoda, una cama. Yo estoy sentado junto a un ancho balcón que da a un patio; el patio es blanco, limpio, silencioso. Y una luz suave, sedante, cae a través de unos tenues visillos y baña las blancas cuartillas que destacan sobre la mesa.

Yo vuelvo a acercarme a la puerta y torno a gritar:

—¡Doña Isabel! ¡Doña Isabel!

Y después me siento otra vez con el mismo gesto de cansancio, de tristeza y de resignación. Las cuartillas esperan inmaculadas los trazos de la pluma; en medio de la estancia, abierta, destaca una maleta. ¿Dónde iré yo una vez más, como siempre, sin remedio ninguno, con mi maleta y mis cuartillas? Y oigo en el largo corredor unos pasos lentos, suaves. Y en la puerta aparece una anciana vestida de negro, limpia, pálida.

—Buenos días, Azorín.

—Buenos días, doña Isabel.

Y nos quedamos un momento en silencio. Yo no pienso en nada; yo tengo una profunda melancolía. La anciana mira inmóvil, desde la puerta, la maleta que aparece en el centro del cuarto.

—¿Se marcha usted, Azorín?

Yo le contesto:

—Me marcho, doña Isabel.

Ella replica:

—¿Dónde se va usted, Azorín?

Yo le contesto:

—No lo sé, doña Isabel.

Y transcurre otro breve momento de un silencio denso, profundo. Y la anciana, que ha permanecido con la cabeza un poco baja, la mueve con un ligero movimiento, como quien acaba de comprender, y dice:

—¿Se irá usted a *los pueblos*, Azorín?

—Sí, sí, doña Isabel —le digo yo—; no tengo más remedio que marcharme a *los pueblos*.

Los pueblos son las ciudades y las pequeñas villas de la Mancha y de las estepas castellanas que yo amo; doña Isabel ya me conoce; sus miradas han ido a posarse en los libros y cuartillas que están sobre la mesa. Luego me ha dicho:

—Yo creo, Azorín, que esos libros y esos papeles que usted escribe le están a usted matando. Muchas veces —añade sonriendo— he tenido la tentación de quemarlos todos durante alguno de sus viajes.

Yo he sonreído también.

—¡Jesús, doña Isabel! —he exclamado fingiendo un espanto cómico—. Usted no quiere creer que yo tengo que realizar una misión sobre la tierra.

—¡Todo sea por Dios! —ha replicado ella, que no comprende nada de esta misión.

Y yo, entristecido, resignado con esta inquieta pluma que he de mover perdurablemente y con estas cuartillas que he de llenar hasta el fin de mis días, he contestado:

—Sí, todo sea por Dios, doña Isabel.

Después, ella junta sus manos con un ademán doloroso, arquea las cejas y suspira:

—¡Ay, Señor!

Y ya este suspiro que yo he oído tantas veces, tantas veces en los viejos pueblos, en los caserones vetustos, a estas buenas ancianas vestidas de negro; ya este suspiro me trae una visión neta y profunda de la España castiza. ¿Qué recuerda doña Isabel con este suspiro? ¿Recuerda los días de su infancia y de su adolescencia, pasados en algunos de estos pueblos muertos, sombríos? ¿Recuerda las callejuelas estrechas, serpenteantes, desiertas, silenciosas? ¿Y las plazas anchas, con soportales ruinosos, por las que de tarde en tarde discurre un perro, o un vendedor se para y lanza un grito en el silencio? ¿Y las fuentes viejas, las fuentes de granito, las fuentes con un blasón enorme, con grandes letras, en que se lee el nombre de Carlos V o Carlos III? ¿Y las iglesias góticas, doradas, rojizas, con estas capillas de las Angustias, de los Dolores o del Santo Entierro, en que tanto nuestras madres han rezado y han suspirado? ¿Y las tiendecillas hondas, lóbregas, de merceros, de cereros, de talabarteros, de pañeros, con las mantas de vivos colores que flamean al aire? ¿Y los carpinteros —estos buenos amigos nuestros— con sus mazos que golpean sonoros? ¿Y las herrerías —las queridas herrerías— que llenan desde el alba al ocaso la pequeña y silenciosa ciudad con sus sones joviales y claros? ¿Y los huertos y cortinales que se extienden a la salida del pueblo, y por cuyas bardas asoma un oscuro laurel o un ciprés mudo, centenario, que ha visto indulgente nuestras travesuras de niño? ¿Y los lejanos majuelos, a los que hemos ido de merienda en las tardes de primavera y que han sido plantados acaso por un anciano que tal vez no ha visto sus frutos primeros? ¿Y las vetustas alamedas de olmos, de álamos, de plátanos, por las que hemos paseado en nuestra adolescencia en compañía de Lolita, de Juana, de Carmencita o de Rosario? ¿Y los cacareos de los gallos que cantaban en las mañanas radiantes y templadas del invierno? ¿Y las campanadas lentas, sonoras, largas, del vetusto reloj que oíamos desde las anchas chimeneas en las noches de invierno?

Yo le digo al cabo a doña Isabel:

—Doña Isabel, es preciso partir.

Ella contesta:

—Sí, sí, Azorín; si es necesario, vaya usted.

Después yo me quedo solo con mis cuartillas, sentado ante la mesa, junto al ancho balcón, por el que veo el patio silencioso, blanco. ¿Es displicencia? ¿Es tedio? ¿Es deseo de algo mejor que no sé lo que es, lo que yo siento? ¿No acabará nunca para nosotros, modestos periodistas, este sucederse perdurable de cosas y de cosas? ¿No volveremos a oír nosotros, con la misma sencillez de los primeros años, con la misma alegría, con el mismo sosiego, sin que el ansia enturbie nuestras emociones, sin que el recuerdo de la lucha nos amargue, estos cacareos de los gallos amigos, estos sones de las herrerías alegres, estas campanadas del reloj venerable que entonces escuchábamos? ¿Nuestra vida no es como la del buen caballero errante que nació en uno de estos pueblos manchegos? Tal vez sí, nuestro vivir, como el de don Alonso Quijano *el Bueno*, es un combate inacabable, sin premio, por ideales que no veremos realizados... Yo amo esa gran figura dolorosa que es nuestro símbolo y nuestro espejo. Yo voy —con mi maleta de cartón y mi capa— a recorrer brevemente los lugares que él recorriera.

Lector: perdóname; mi voluntad es serte grato; he escrito ya mucho en mi vida; veo con tristeza todavía que he de escribir otro tanto. Lector: perdóname; yo soy un pobre hombre que, en los ratos de vanidad, quiere aparentar que sabe algo, pero que en realidad no sabe nada.

14

II
LA MARCHA

Estoy sentado en una vieja y amable casa, que se llama fonda de la Xantipa; acabo de llegar —¡descubríos!— al pueblo ilustre de Argamasilla de Alba. En la puerta de mi modesto mechinal, allá en Madrid, han resonado esta mañana unos discretos golpecitos; me he levantado súbitamente; he abierto el balcón; aún el cielo estaba negro y las estrellas titilaban sobre la ciudad dormida. Yo me he vestido. Yo he bajado a la calle; un coche pasaba con un ruido lento, rítmico, sonoro. Ésta es la hora en que las grandes urbes modernas nos muestran todo lo que tienen de extrañas, de anormales, tal vez de antihumanas. Las calles aparecen desiertas, mudas; parece que durante un momento, después de la agitación del trasnocheo, después de los afanes del día, las casas recogen su espíritu sobre sí mismas, y nos muestran en esta fugaz pausa, antes de que llegue otra vez el inminente tráfago diario, toda la frialdad, la impasibilidad de sus fachadas altas, simétricas, de sus hileras de balcones cerrados, de sus esquinazos y sus ángulos, que destacan en un cielo que comienza poco a poco, imperceptiblemente, a clarear en lo alto...

El coche que me lleva corre rápidamente hacia la lejana estación. Ya en el horizonte comienza a surgir un resplandor mate, opaco; las torrecillas metálicas de los cables surgen rígidas; la chimenea de una fábrica deja escapar un humo denso, negro, que va poniendo una tupida gasa ante la claridad que nace por Oriente. Yo llego a la estación. ¿No sentís vosotros una simpatía profunda por las estaciones? Las estaciones, en las grandes ciudades, son lo que primero despierta por las mañanas a la vida inexorable y cotidiana. Y son primero los faroles de los mozos que pasan, cruzan, giran, tornan, marchan de un lado para otro, a ras del suelo, misteriosos, diligentes, sigilosos. Y son luego las carretillas y diablas, que comienzan a chirriar y gritar. Y después, el estrépito sordo, lejano, de los coches que avanzan. Y luego la ola humana que va entrando por las anchas puertas, y se desparrama, acá y allá, por la inmensa nave. Los redondos focos eléctricos, que han parpadeado toda la noche, acaban de ser apagados; suenan los silbatos agudos de las locomotoras; en el horizonte surgen los resplandores rojizos, nacarados, violetas, áureos, de la aurora. Yo he contemplado este ir y venir, este trajín ruidoso, este despertar de la energía humana. El momento de sacar nuestro billete correspondiente es llegado ya. ¿Cómo he hecho yo una sólida, una sincera amistad —podéis creerlo— con este hombre sencillo, discreto y afable, que está a par de mí, junto a la ventanilla?

—¿Va usted —le he preguntado yo— a Argamasilla de Alba?

—Sí —me ha contestado él—; yo voy a Cinco Casas.

Yo me he quedado un poco estupefacto. Si este hombre sencillo e ingenuo —he pensado— va a Cinco Casas, ¿cómo puede ir a Argamasilla? Y luego, en voz alta, he dicho cortésmente:

—Permítame usted: ¿Cómo es posible ir a Argamasilla y a Cinco Casas?

Él se ha quedado mirándome un momento en silencio; indudablemente yo era un hombre colocado fuera de la realidad. Y, al fin, ha dicho:

—Argamasilla es Cinco Casas; pero todos le llamamos Cinco Casas...

Todos, ha dicho mi nuevo amigo. ¿Habéis oído bien? ¿Quiénes son *todos*? Vosotros sois ministros; ocupáis los gobiernos civiles de las provincias; estáis al frente de los grandes organismos burocráticos; redactáis los periódicos; escribís libros, pronunciáis discursos; pintáis cuadros, hacéis estatuas... y un día os metéis en el tren, os sentáis en los duros bancos de un coche y descubrís —profundamente sorprendidos— que *todos* no sois vosotros (que no sabéis que Cinco Casas da lo mismo que Argamasilla), sino que *todos* es Juan, Ricardo, Pedro, Roque, Alberto, Luis, Antonio, Rafael, Tomás, es decir, el pequeño labriego, el carpintero, el herrero, el comerciante, el industrial, el artesano. Y ese día —no lo olvidéis— habéis aprendido una enorme, una eterna verdad...

Pero el tren va a partir ya en este momento; el coche está atestado. Yo veo una mujer que solloza y unos niños que lloran (porque van a embarcarse en un puerto mediterráneo para América); veo unos estudiantes que, en el departamento de al lado, cantan y gritan; veo en un rincón, acurrucado, junto a mí, un hombre diminuto y misterioso, embozado en una capita raída, con unos ojos que brillan —como en ciertas figuras de Goya— por debajo de las anchas y sombrosas alas de su chapeo. Mi nuevo amigo es más comunicativo que yo; pronto entre él y el pequeño viajero enigmático se entabla un vivo diálogo. Y lo primero que yo descubro es que este hombre hermético tiene frío; en cambio, mi compañero no lo tiene. ¿Comprendéis los antagonismos de la vida? El viajero embozado es andaluz, mi flamante amigo es castizo manchego.

—Yo —dice el andaluz— no he encontrado en Madrid el calor.

—Yo —replica el manchego— no he sentido el frío. He aquí —pensáis vosotros, si sois un poco dados a las especulaciones filosóficas—, he aquí explicadas la diversidad y la oposición de todas las éticas, de todos los derechos, de todas las estéticas que hay sobre el planeta. Y luego os ponéis a mirar el paisaje; ya es día claro; ya una luz clara, limpia, diáfana, llena la inmensa llanura amarillenta; la campiña se extiende a lo lejos en suaves ondulaciones de terrenos y oteros. De cuando en cuando, se divisan las paredes blancas, refulgentes, de una casa; se ve perderse a lo lejos, rectos, inacabables, los caminos. Y una cruz tosca de piedra tal vez nos recuerda, en esta llanura solitaria, monótona, yerma, desesperante, el sitio de una muerte, de una tragedia. Y lentamente, el tren arranca con un estrépito de hierros viejos. Y las estaciones van pasando, pasando; todo el paisaje que ahora vemos es igual que el paisaje pasado; todo el paisaje pasado es el mismo que el que contemplaremos dentro de un par de horas. Se perfilan en la lejanía radiante las lomas azules; acaso se columbra el chapitel negro de un campanario; una picaza revuela sobre los surcos rojizos o amarillentos: van lentas, lentas por el llano inmenso, las yuntas que arrastran el arado. Y de pronto surge en la línea del horizonte un molino que mueve locamente sus cuatro aspas. Y luego pasamos por Alcázar; otros molinos vetustos, épicos, giran y giran. Ya va entrando la tarde; el cansancio ha ganado ya nuestros miembros. Pero una voz acaba de gritar:

—¡Argamasilla, dos minutos!

Una sacudida nerviosa nos conmueve. Hemos llegado al término de nuestro viaje. Yo contemplo en la estación una enorme diligencia —una de estas diligencias que encantan a los viajeros franceses—; junto a ella hay un coche, un coche venerable, un coche simpático, uno de estos coches de pueblo en que todos —indudablemente— hemos paseado siendo niños. Y pregunto a un mozuelo que a quién pertenece este coche.

—Este coche —me dice él— es de la Pacheca.

Una dama fina, elegante, majestuosa, enlutada, sale de la estación y sube en este coche. Ya estamos en pleno ensueño. ¿No os ha desatado la fantasía, la figura esbelta y silenciosa de esta dama, tan española, tan castiza, a quien tan española y castizamente se le acaba de llamar la Pacheca?

Ya vuestra imaginación corre desvariada. Y cuando tras largo caminar en la diligencia por la llanura entráis en la villa ilustre; cuando os habéis aposentado en esta vieja y amable fonda de la Xantipa; cuando, ya cerca de la noche, habéis trazado rápidamente unas cuartillas, os levantáis de ante la mesa sintiendo un feroz apetito, y decís a estas buenas mujeres que andan por estancias y pasillos:

—Señoras mías, escuchadme un momento. Yo les agradecería a vuesas mercedes un poco de salpicón, un poco de duelos y quebrantos, algo acaso de alguna olla modesta, en que haya "más vaca que carnero".

III
PSICOLOGÍA DE ARGAMASILLA

Penetramos en la sencilla estancia; acércate, lector, que la emoción no sacuda tus nervios, que tus pies no tropiecen con el astrágalo del umbral; que tus manos no dejen caer el bastón en que se apoyan; que tus ojos, bien abiertos, bien vigilantes, bien escudriñadores, recojan y envíen al cerebro todos los detalles, todos los matices, todos los más insignificantes gestos y los movimientos más ligeros. Don Alonso Quijano, *el Bueno,* está sentado ante una recia y oscura mesa de nogal; sus codos puntiagudos, huesudos, se apoyan con energía sobre el duro tablero; sus miradas ávidas se clavan en los blancos folios, llenos de letras pequeñitas, de un inmenso volumen. Y, de cuando en cuando, el busto amojamado de don Alonso se yergue; suspira hondamente el caballero; se remueve nervioso y afanoso en el ancho asiento. Y sus miradas, de las blancas hojas del libro pasan, súbitas y llameantes, a la vieja y mohosa espada que pende en la pared. Estamos, lector, en Argamasilla de Alba, y en 1570, en 1572 o en 1575. ¿Cómo es esta ciudad, hoy ilustre en la historia literaria española? ¿Quién habita en sus casas? ¿Cómo se llaman estos nobles hidalgos que arrastran sus tizonas por sus calles claras y largas? ¿Y por qué este buen don Alonso, que ahora hemos visto suspirando de anhelos inefables sobre sus libros malhadados, ha venido a este trance? ¿Qué hay en el ambiente de este pueblo que haya hecho posible el nacimiento y desarrollo, precisamente aquí, de esta extraña, amada y dolorosa figura? ¿De qué suerte

Argamasilla de Alba, y no otra cualquiera villa manchega, ha podido ser la cuna del más ilustre, del más grande de los caballeros andantes?

Todas las cosas son fatales, lógicas, necesarias; todas las cosas tienen su razón poderosa y profunda. Don Quijote de la Mancha había de ser forzosamente de Argamasilla de Alba. Oídlo bien; no lo olvidéis jamás: el pueblo entero de Argamasilla es lo que se llama un pueblo andante. Y yo lo voy a explicar. ¿Cuándo vivió don Alonso? ¿No fue por estos mismos años que hemos expresado anteriormente? Cervantes escribía con lentitud; su imaginación era tarda en elaborar; salió a luz la obra en 1605; mas ya entonces el buen caballero retratado en sus páginas había fenecido, y ya, desde luego, hemos de suponer que el autor debió de comenzar a planear su libro mucho después de acontecer esta muerte deplorable, es decir, que podemos sin temor afirmar que don Alonso vivió a mediados del siglo xvi, acaso en 1560, tal vez en 1570, es posible que en 1575. Y bien: precisamente en este mismo año nuestro rey don Felipe II requería de los vecinos de la villa de Argamasilla una información puntual, minuciosa, exacta, de la villa y sus aledaños. ¿Cómo desobedecer a este monarca? No era posible. "Yo —dice el escribano público del pueblo, Juan Martínez Patiño— he notificado el deseo del rey a los alcaldes ordinarios y a los señores regidores. Los alcaldes se llaman: Cristóbal de Mercadillo y Francisco García de Tembleque; los regidores llevan por nombre Andrés de Peroalonso y Alonso de la Osa. Y todos estos señores, alcaldes y regidores, se reúnen, conferencian, tornan a conferenciar, y a la postre nombran a personas calificadas de la villa para que redacten el informe pedido. Estas personas son Francisco López de Toledo, Luis de Córdoba *el Viejo*, Andrés de Anaya."

Yo quiero que os vayáis ya fijando en todas estas idas y venidas, en todos estos cabildeos, en toda esta inquietud administrativa que ya comienza a mostrarnos la psicología de Argamasilla. La comisión que ha de redactar el suspirado dictamen está nombrada ya; falta, sin embargo, el que a sus individuos se les notifique el nombramiento. El escribano señor Martínez de Patiño se pone su sombrero, coge sus papeles y se marcha a visitar a los señores nombrados; el señor López de Toledo y el señor Anaya dan su conformidad, tal vez después de algunas tenues excusas; mas el don Luis de Córdoba, *el Viejo*, hombre un poco escéptico, hombre que ha visto muchas cosas, "persona antigua" —dicen los informantes—, recibe con suma cortesía al escribano, sonríe, hace una leve pausa, y, después, mirando al señor de Patiño con una ligera mirada irónica, declara que él no puede aceptar el nombramiento, pues que él, don Luis de Córdoba, *el Viejo*, goza de una salud escasa, padece de ciertos lamentables achaques, y, además, a causa de ellos y como razón suprema, "no puede estar sentado un cuarto de hora". ¿Cómo un hombre así podía pertenecer al seno de una comisión? ¿Cómo podía permanecer don Luis de Córdoba, *el Viejo*, una hora, dos horas, tres horas, pegado a su asiento, oyendo informar o discutiendo datos y cifras? No es posible; el escribano Martínez de Patiño se retira un poco mohíno; don Luis de Córdoba, *el Viejo*, torna a sonreír al despedirle; los alcaldes nombran, en su lugar, a Diego de Oropesa...

Y la comisión, ya sin más trámites, ya sin más dilaciones, comienza a funcionar. Y por su informe —todavía inédito entre las *Relaciones topográficas*, ordenadas por Felipe II— conocemos a Argamasilla de Alba en tiempos de Don Quijote. Y, ante todo, ¿quién la ha fundado? La fundó don Diego de Toledo, prior de San Juan; el paraje en que se estableciera el pueblo, se llamaba Argamasilla: el fundador era de la casa de Alba. Y de ahí el nombre de Argamasilla de Alba.

Pero el pueblo —y aquí entramos en otra etapa de su psicología—, el pueblo primitivamente se hallaba establecido en el lugar llamado la Moraleja; ocurría esto en 1555. Mas una epidemia sobreviene; la población se dispersa; reina un momento de pavor y de incertidumbre, y, como en un tropel, los moradores corren hacia el cerro llamado de Boñigal, y allí van formando nuevamente el poblado. Y otra vez, al cabo de pocos años, cae sobre el flamante caserío otra epidemia, y de nuevo atemorizados, enardecidos, exasperados, los habitantes huyen, corren, se dispersan y se van reuniendo, al fin, en el paraje que lleva el nombre de Argamasilla, y aquí fundan otra ciudad, que es la que ha llegado hasta nuestros días y es en la que ha nacido el gran manchego. ¿Veis ya cómo se ha creado en pocos años, desde 1555 a 1575, la mentalidad de una nueva generación, entre la que estará don Alonso Quijano? ¿Veis cómo el pánico, la inquietud nerviosa, la exasperación, las angustias que han padecido las madres de estos nuevos hombres se ha comunicado a ellos y ha formado en la nueva ciudad un ambiente de hiperestesia sensitiva, de desasosiego, de anhelo perdurable por algo desconocido y lejano? ¿Acabáis de aprender cómo Argamasilla entero es un pueblo andante y cómo aquí había de nacer el mayor de los caballeros andantes? Añadid ahora que, además de esta epidemia de que hemos hablado, caen también sobre el pueblo plagas de langostas que arrasan las cosechas y suman nuevas incertidumbres y nuevos dolores a los que ya se experimentan. Y como si todo esto fuera poco para determinar y crear una psicología especialísima, tened en cuenta que el nuevo pueblo, por su situación, por su topografía, ha de favorecer este estado extraordinario, único, de morbosidad y exasperación. "Éste —dicen los vecinos informantes—, es pueblo enfermo, porque cerca de esta villa se suele derramar la madre del río Guadiana, y porque pasa por esta villa y hace remanso el agua, y de causa de dicho remanso y detenimiento del agua salen muchos vapores que acuden al pueblo con el aire." Y ya no necesitamos más para que nuestra visión quede completa; mas sí, aún recogeremos en él pormenores, detalles, hechos, al parecer insignificantes, que vendrán a ser la contraprueba de lo que acabamos de exponer.

Argamasilla es un pueblo enfermizo, fundado por una generación presa de una hiperestesia nerviosa. ¿Quiénes son los sucesores de esta generación? ¿Qué es lo que hacen? Los informes citados nos dan una relación de las personas más notables que viven en la villa: son éstas: don Rodrigo Pacheco, dos hijos de don Pedro Prieto de Bárcena, el señor Rubián, los sobrinos de Pacheco, los hermanos de Baldolivias, el señor Cepeda y don Gonzalo Patiño. Y de éstos, los informantes nos advierten al pasar que los hijos de don Pedro Prieto de Bárcena han pleiteado a favor de su ejecutoria de hidalguía; que el señor Cepeda también pleitea; que el señor Rubián litiga asimismo con la villa; que los hermanos Baldolivias no se escapan tampoco de mantener sus contiendas, y que, finalmente, los sobrinos de Pacheco se hallan puestos en el libro de los pecheros, sin duda porque, a pesar de todas las sutilezas y supercherías, "no han podido probar su filiación...".

Ésta es la villa de Argamasilla de Alba, hoy insigne entre todas las de la Mancha. ¿No es natural que todas estas causas y concausas de locura, de exasperación, que flotan en el ambiente, hayan convergido en un momento supremo de la historia y hayan creado la figura de este sin par hidalgo, que ahora, en este punto nosotros, acercándonos con cautela, vemos leyendo de rato y lanzando súbitas y relampagueantes miradas hacia la vieja espada llena de herrumbre?

IV
EL AMBIENTE DE ARGAMASILLA

¿Cuánto tiempo hace que estoy en Argamasilla de Alba? ¿Dos, tres, cuatro, seis años? He perdido la noción del tiempo y la del espacio; ya no se me ocurre nada ni sé escribir. Por la mañana, apenas comienza a clarear, una bandada de gorriones salta, corre, va, viene, trina chillando furiosamente en el ancho corral; un gallo, junto a la ventanita de mi estancia, canta con metálicos cacareos. Yo he de levantarme. Ya fuera, en la cocina, se oye el ruido de las tenazas, que caen sobre la losa, y el rastrear de las trébedes, y la crepitación de los sarmientos que principian a arder. La casa comienza su vida cotidiana: la Xantipa marcha de un lado para otro apoyada en su pequeño bastón; Mercedes sacude los muebles; Gabriel va a coger sus tijeras pesadas de alfayate y con ellas se dispone a cortar los recios paños. Yo abro la ventanita; la ventanita no tiene cristales, sino un bastidor de lienzo blanco; a través de este lienzo entra una claridad mate en el cuarto. El cuarto es grande, alargado; hay en él una cama, cuatro sillas y una mesa de pino; las paredes aparecen blanqueadas con cal, y tienen un ancho zócalo ceniciento; el piso está cubierto por una recia estera de esparto blanco. Yo salgo a la cocina; la cocina está enfrente de mi cuarto y es de ancha campana; en una de las paredes laterales cuelgan los cazos, las sartenes, las cazuelas; las llamas de la fogata ascienden en el hogar y lamen la piedra trashoguera.

—Buenos días, señora Xantipa; buenos días, Mercedes.

Y me siento a la lumbre; el gallo —mi amigo— continúa cantando; un gato —amigo mío también— se acaricia en mis pantalones. Ya las campanas de la iglesia suenan a la misa mayor; el día está claro, radiante, es preciso salir a hacer lo que todo buen español hace desde siglos y siglos: tomar el sol. Desde la cocina de esta casa se pasa a un patizuelo empedrado con pequeños cantos; la mitad de este patio está cubierta por una galería, la otra mitad se encuentra libre. Y de aquí, continuando en nuestra marcha, encontramos un zaguán diminuto; luego una puerta, después otro zaguán: al fin, la salida a la calle. El piso está en altos y bajos, desnivelados, sin pavimentar; las paredes todas son blancas, con zócalos grises o azules. Y hay en toda la casa —en las puertas, en los techos, en los rincones— este aire de vetustez, de inmovilidad, de reposo profundo, de resignación secular —tan castizos, tan españoles— que se percibe en todas las casas manchegas, y que tanto contrasta con la veleidad, la movilidad y el estruendo de las mansiones levantinas.

Y luego, cuando salimos a la calle, vemos que las anchas y luminosas vías están en perfecta concordancia con los interiores. No son éstos los pueblecitos moriscos de Levante, todo recogidos, todo íntimos; son los poblados anchurosos, libres, espaciados, de la vieja gente castellana. Aquí cada imaginación parece que ha de marchar por su camino, independiente, opuesta a toda traba y ligamen; no hay un ambiente que una a todos los espíritus como en un haz invisible; las casas son bajas y largas; de trecho en trecho, un inconmensurable portalón de un patio rompe, de pronto, lo que pudiéramos llamar la solidaridad espiritual de las casas; allá, al final de la calle, la llanura se columbra inmensa, infinita, y encima de nosotros, a toda hora limpia, como atrayendo todos nuestros anhelos, se abre también inmensa, infinita, la bóveda radiante. ¿No es éste el medio en que han nacido y se han desarrollado las grandes voluntades fuertes, poderosas, tremendas, pero solitarias, anárquicas, de aventureros, navegantes, conquistadores? ¿Cabrá aquí, en estos pueblos, el concierto íntimo, tácito, de voluntades y de inteligencias, que hace la prosperidad sólida y duradera de una nación? Yo voy recorriendo las calles de este pueblo. Yo contemplo las casas, bajas, anchas y blancas. De tarde en tarde, por las anchas vías cruza un labriego. No hay ni ajetreos, ni movimientos, ni estrépitos. Argamasilla en 1575 contaba con 700 vecinos, en 1905 cuenta con 850. Argamasilla en 1575 tenía 600 casas, en 1905 tiene 711. En tres siglos es bien poco lo que se ha adelantado. "Desde 1900 hasta la fecha —me dicen— no se han construido más allá de ocho casas." Todo está en profundo reposo. El sol reverbera en las blancas paredes; las puertas están cerradas: las ventanas están cerradas. Pasa de rato en rato, ligero, indolente, un galgo negro, o un galgo gris, o un galgo rojo. Y la llanura, en la lejanía, allá dentro, en la línea remota del horizonte, se confunde imperceptible con la inmensa planicie azul del cielo. Y el viejo reloj lanza despacio, grave, de hora en hora, sus campanadas. ¿Qué hacen en estos momentos don Juan, don Pedro, don Francisco, don Luis, don Antonio, don Alejandro?

Estas campanadas que el reloj acaba de lanzar marcan el mediodía. Yo regreso a la casa.

—¿Qué tal? ¿Cómo van esos duelos y quebrantos, señora Xantipa? —pregunto yo.

La mesa está ya puesta; Gabriel ha dejado por un instante en reposo sus pesadas tijeras; Mercedes coloca sobre el blanco mantel una fuente humeante.

Y yo yanto prosaicamente —como todos hacen— de esta sopa rojiza, azafranada. Y luego de otros varios manjares, todos sencillos, todos modernos. Y después de comer hay que ir un momento al Casino. El Casino está en la misma plaza; trapasáis los umbrales de un vetusto caserón; ascendéis por una escalerilla empinada; torcéis después a la derecha y entráis al cabo en un salón ancho, con las paredes pintadas de azul claro y el piso de madera. En este ancho salón hay cuatro o seis personas, silenciosas, inmóviles, sentadas en torno de una estufa.

—¿No le habían hecho a usted ofrecimientos de comprarle el vino a seis reales? —pregunta don Juan tras una larga pausa.

—No —dice don Antonio—; hasta ahora a mí no me han dicho palabra.

Pasan seis, ocho, diez minutos en silencio.

—¿Se marcha usted esta tarde al campo? —le dice don Tomás a don Luis.

—Sí —contesta don Luis—, quiero estar allá hasta el sábado próximo.

Fuera, la plaza está solitaria, desierta; se oye un grito lejano; un viento ligero lleva unas nubes blancas por el cielo. Y salimos de este Casino; otra vez nos encaminamos por las anchas calles; en los aledaños del pueblo, sobre las techumbres bajas y pardas, destaca el ramaje negro, desnudo, de los olmos que bordean el río. Los minutos transcurren lentos; pasa ligero, indolente, el galgo gris, o el galgo negro, o el galgo rojo. ¿Qué vamos a hacer durante todas las horas eternas de esta tarde? Las puertas están cerradas; las ventanas están cerradas. Y de nuevo el llano se ofrece a nuestros ojos, inmenso, desmantelado, infinito, en la lejanía.

Cuando llega el crepúsculo suenan las campanadas graves y las campanadas agudas del Ave-María;

el cielo se ensombrece; brillan de trecho en trecho unas mortecinas lamparitas eléctricas. Ésta es la hora en que se oyen en la plaza unos gritos de muchachos que juegan: yuntas de mulas salen de los anchos corrales y son llevadas junto al río; se esparce por el aire un olor de sarmientos quemados. Y de nuevo, después de esta rápida tregua, comienza el silencio más profundo, más denso, que ha de pesar durante la noche sobre el pueblo.

Yo vuelvo a casa.

—¿Qué tal, señora Xantipa? ¿Cómo van esos duelos y quebrantos? ¿Cómo está el salpicón?

Yo ceno junto al fuego, en una mesilla de pino; mi amigo el gallo está ya reposando; el gato —mi otro amigo— se acaricia ronroneando en mis pantalones.

—¡Ay, Jesús! —exclama la Xantipa.

Gabriel calla; Mercedes calla; las llamas de la fogata se agitan y bailan en silencio. He acabado ya de cenar; será necesario el volver al Casino. Cuatro, seis, ocho personas están sentadas en torno de la estufa.

—¿Cree usted que el vino este año se venderá mejor que el año pasado? —pregunta don Luis.

—Yo no sé —contesta don Rafael—; es posible que no.

Transcurren seis, ocho, diez minutos en silencio.

—Si continúa este tiempo frío —dice don Tomás— se van a helar las viñas.

—Eso es lo que yo temo —replica don Francisco.

El reloj lanza nueve campanadas sonoras. ¿Son realmente las nueve? ¿No son las once, las doce? ¿No marcha en una lentitud estupenda este reloj? Las lamparillas del salón alumbran débilmente el ancho ámbito; las figuras permanecen inmóviles, silenciosas, en la penumbra. Hay algo en estos ambientes de los casinos de pueblo, a estas horas primeras de la noche, que os produce como una sensación de sopor y de irrealidad. En el pueblo está todo en reposo; las calles se hallan oscuras, desiertas; las casas han cesado de irradiar su tenue vitalidad diurna. Y parece que todo este silencio, que todo este reposo, que toda esta estaticidad formidable se concreta, en estos momentos, en el salón del Casino y pesa sobre las figuras fantásticas, quiméricas, que vienen y se tornan a marchar lentas y mudas.

Yo salgo a la calle; las estrellas parpadean en lo alto misteriosas; se oye el aullido largo de un perro; un mozo canta una canción que semeja un alarido y una súplica. Decidme, ¿no es éste el medio en que florecen las voluntades solitarias, libres, llenas de ideal —como la de Alonso Quijano *el Bueno*—; pero ensimismadas, soñadoras, incapaces, en definitiva, de concentrarse en los prosaicos, vulgares, pacientes pactos que la marcha de los pueblos exige?

V
LOS ACADÉMICOS DE ARGAMASILLA

> "...Con tutta quella gente que si lava in Guadiana..."
>
> ARIOSTO, *Orlando furioso*, canto XIV.

Yo no he conocido jamás hombres más discretos, más amables, más sencillos, que estos buenos hidalgos don Cándido, don Luis, don Francisco, don Juan Alfonso y don Carlos. Cervantes, al final de la primera parte de su libro, habla de los académicos de Argamasilla; don Cándido, don Luis, don Francisco, don Juan Alfonso y don Carlos pueden ser considerados como los actuales académicos de Argamasilla. Son las diez de la mañana; yo me voy a casa de don Cándido. Don Cándido es clérigo; don Cándido tiene una casa amplia, clara, nueva y limpia; en el centro hay un patio con un zócalo de relucientes azulejos; todo en torno corre una galería. Y cuando he subido por unas escaleras fregadas y refregadas por la aljofifa, yo entro en el comedor.

—Buenos días, don Cándido.

—Buenos los dé Dios, señor Azorín.

Cuatro balcones dejan entrar raudales de sol tibio, esplendente, confortador; en las paredes cuelgan copias de cuadros de Velázquez y soberbios platos antiguos; un fornido aparador de roble destaca en un testero; enfrente aparece una chimenea de mármol negro, en que las llamas se mueven rojas; encima de ella se ve un claro espejo encuadrado en un rico marco de patinosa talla; ante el espejo, esbelta, primorosa, se yergue una estatuilla de la Virgen. Y en el suelo, extendida por todo el pavimento, se muestra una antigua y maravillosa alfombra gualda, de un gualda intenso, con intensas flores bermejas, con intensos ramajes verdes.

—Señor Azorín —me dice el discretísimo don Cándido—, acérquese usted al fuego.

Yo me acerco al fuego.

—Señor Azorín, ¿ha visto usted ya las antigüedades de nuestro pueblo?

Yo he visto ya las antigüedades de Argamasilla de Alba.

—Don Cándido —me atrevo yo a decir—, he estado esta mañana en la casa que sirvió de prisión a Cervantes; pero...

Al llegar aquí me detengo un momento; don Cándido —este clérigo tan limpio, tan afable— me mira con una vaga ansia. Yo continúo:

—Pero respecto de esta prisión, dicen ahora los eruditos que...

Otra vez me vuelvo a detener en una breve pausa; las miradas de don Cándido son más ansiosas, más angustiosas. Yo prosigo:

—Dicen ahora los eruditos que no estuvo encerrado en ella Cervantes.

Yo no sé con entera certeza si dicen tal cosa los eruditos; mas el rostro de don Cándido se llena de sorpresa, de asombro, de estupefacción.

—¡Jesús! ¡Jesús! —exclama don Cándido, llevándose las manos a la cabeza escandalizado—. ¡No diga usted tales cosas, señor Azorín! ¡Señor, Señor, que tenga uno de oír unas cosas tan enormes! Pero, ¿qué más, señor Azorín? ¡Si se ha dicho de Cervantes que era gallego! ¿Ha oído usted nunca algo más estupendo?

Yo no he oído, en efecto, nada más estupendo; así se lo confieso lealmente a don Cándido. Pero si estoy dispuesto a creer firmemente que Cervantes era manchego y estuvo encerrado en Argamasilla, en cambio —perdonadme mi incredulidad— me resisto a secundar la idea de que Don Quijote vivió en este lugar manchego. Y entonces, cuando he acabado de exponer tímidamente, con toda cortesía, esta proposición, don Cándido me mira con ojos de un mayor espanto, de una más profunda estupefacción y grita, extendiendo hacia mí los brazos:

—¡No, no, por Dios! ¡No, no, señor Azorín! ¡Llévese usted a Cervantes; lléveselo usted en buena hora, pero déjenos usted a Don Quijote!

Don Cándido se ha levantado a impulsos de su emoción; yo pienso que he cometido una indiscreción enorme.

—Ya sé, señor Azorín, de dónde viene todo eso —dice don Cándido—, ya sé que hay ahora una corriente en contra de Argamasilla; pero no se me oculta que estas ideas arrancan de cuando Cánovas iba al Tomelloso y allí le llenaban la cabeza de cosas en perjuicio de nosotros. ¿Usted no conoce la enemiga que los del Tomelloso tienen a Argamasilla? Pues yo digo que Don Quijote era de aquí; Don Quijote era el propio don Rodrigo de Pacheco, el que está retratado en nuestra iglesia, y no podrá nadie, nadie, por mucha que sea su ciencia, destruir esta tradición en que todos han creído y que se ha mantenido siempre tan fuerte y tan constante...

¿Qué voy o decirle yo a don Cándido, a este buen clérigo, modelo de afabilidad y de discreción, que vive en esta casa tan confortable, que viste estos hábitos tan limpios? Ya creo yo también a pie juntillas que don Alonso Quijano, *el Bueno*, era de este insigne pueblo manchego.

—Señor Azorín —me dice don Cándido sonriendo—, ¿quiere usted que vayamos un momento a nuestra Academia?

—Vamos, don Cándido —contesto yo—, a esa Academia.

La Academia es la rebotica del señor licenciado

don Carlos Gómez; ya en el camino hemos encontrado a don Luis. Vosotros es posible que no conozcáis a don Luis de Montalbán. Don Luis es el tipo castizo, inconfundible, del viejo hidalgo castellano. Don Luis es menudo, nervioso, movible, flexible, acerado, aristocrático; hay en él una suprema, una instintiva distinción de gestos y de maneras; sus ojos llamean, relampaguean y, puesta en su cuello una ancha y tiesa gola, don Luis sería uno de estos finos, espirituales caballeros que el Greco ha retratado en su cuadro famoso del *Entierro*.

—Luis —le dice su hermano don Cándido—, ¿sabes lo que dice el señor Azorín? Que Don Quijote no ha vivido nunca en Argamasilla.

Don Luis me mira un brevísimo momento en silencio; luego se inclina un poco y dice, tratando de reprimir con una exquisita cortesía su sorpresa:

—Señor Azorín, yo respeto todas las opiniones; pero sentiría en el alma, sentiría profundamente, que a Argamasilla se le quisiera arrebatar esta gloria. Eso —añade sonriendo con una sonrisa afable— creo que es una broma de usted.

—Efectivamente —confieso yo con entera sinceridad—, efectivamente, esto no pasa de ser una broma mía sin importancia.

Y ponemos nuestras plantas en la botica; después pasamos a una pequeña estancia que detrás de ella se abre. Aquí, sentados, están don Carlos, don Francisco, don Juan Alfonso. Los tarros blancos aparecen en las estanterías; entra un sol vivo y confortador por la ancha reja; un olor de éter, de alcohol, de cloroformo, flota en el ambiente. Cerca, a través de los cristales, se divisa el río, el río verde, el río claro, el río tranquilo, que se detiene en un ancho remanso junto a un puente.

—Señores —dice don Luis cuando ya hemos entrado en una charla amistosa, sosegada, llena de una honesta ironía—, señores, ¿a que no adivinan ustedes lo que ha dicho el señor Azorín?

Yo miro a don Luis sonriendo; todas las miradas se clavan, llenas de interés, en mi persona.

—El señor Azorín —prosigue don Luis, al mismo tiempo que me mira como pidiéndome perdón por su discreta chanza—; el señor Azorín decía que Don Quijote no ha existido nunca en Argamasilla, es decir, que Cervantes no ha tomado su tipo de Don Quijote de nuestro convecino don Rodrigo de Pacheco.

—¡Caramba! —exclama don Juan Alfonso.

—¡Hombre, hombre! —dice don Francisco.

—¡Demonios! —grita vivamente don Carlos, echándose hacia atrás su gorra de visera.

Y yo permanezco un instante silencioso, sin saber qué decir ni cómo justificar mi audacia; mas don Luis añade al momento que yo estoy ya convencido de que Don Quijote vivió en Argamasilla, y todos entonces me miran con una profunda gratitud, con un intenso reconocimiento. Y todos charlamos como viejos amigos. ¿No os agradaría esto a vosotros? Don Carlos lee y relee a todas horas el *Quijote*; don Juan Alfonso —tan parco, tan mesurado, de tan sólido juicio— ha escudriñado, en busca de datos sobre Cervantes, los más diminutos papeles del archivo; don Luis cita, con menudos detalles, los más insignificantes parajes que recorriera el caballero insigne. Y don Cándido y don Francisco traen a cada momento a colación largos párrafos del gran libro. Un hálito de arte, de patriotismo, se cierne en esta clara estancia en esta hora, entre estas viejas figuras de hidalgos castellanos. Fuera, allí cerca, a dos pasos de la ventana, a flor de tierra, el noble Guadiana se desliza manso, callado, transparente.

VI
SILUETAS DE ARGAMASILLA

La Xantipa

La Xantipa tiene unos ojos grandes, unos labios abultados y una barbilla aguda, puntiaguda; la Xantipa va vestida de negro y se apoya, toda encorvada, en un diminuto bastón blanco con una enorme vuelta. La casa es de techos bajitos, de puertas chiquitas y de estancias hondas. La Xantipa camina de una en otra estancia, de uno en otro patizuelo, lentamente, arrastrando los pies, agachada sobre su palo. La Xantipa, de cuando en cuando, se detiene un momento en el zaguán, en la cocina o en una sala; entonces ella pone su pequeño bastón arrimado a la pared, junta sus manos pálidas, levanta los ojos al cielo y dice, dando un profundo suspiro:

—¡Ay, Jesús!

Y entonces, si vosotros os halláis allí cerca, si vosotros habéis hablado con ella dos o tres veces, ella os cuenta que tiene muchas penas.

—Señora Xantipa —le decís vosotros afectuosamente—, ¿qué penas son ésas que usted tiene?

Y en este punto ella —después de suspirar otra vez—, comienza a relataros su historia. Se trata de una vieja escritura: de un huerto, de una bodega, de un testamento. Vosotros no veis muy claro en este dédalo terrible.

—Yo fui un día —dice la Xantipa— a casa del notario, ¿comprende usted? Y el notario me dijo: "Usted ese huerto que tenía ya no lo tiene". Yo no quería creerlo, pero él me enseñó la escritura de

49

venta que yo había hecho; pero yo no había hecho ninguna escritura. ¿Comprende usted?

Yo, a pesar de que en realidad no comprendo nada, digo que lo comprendo todo. La Xantipa vuelve a levantar los ojos al cielo y suspira otra vez. Ella quería vender este huerto para pagar los gastos del entierro de su marido y los derechos de la testamentaría. Estamos ante la lumbre del hogar; Gabriel extiende sus manos hacia el fuego en silencio; Mercedes mira el ondular de las llamas con un vago estupor.

—Y entonces —dice la Xantipa—, como no pude vender este huerto, tuve que vender la casa de la esquina, que era mía y que estaba tasada...

Se hace una ligera pausa.

—¿En cuánto estaba tasada, Gabriel? —pregunta la Xantipa.

—En ocho mil pesetas —contesta Gabriel.

—Sí, sí, en ocho mil pesetas —dice la Xantipa—. Y después tuve que vender también un molino que estaba tasado...

Se hace otra ligera pausa.

—¿En cuánto estaba tasado, Gabriel? —torna a preguntar la Xantipa.

—En seis mil pesetas —replica Gabriel.

—Sí, sí, en seis mil pesetas —dice la Xantipa.

Y luego, cuando ha hablado durante un largo rato, contándome otra vez todo el intrincado enredijo de la escritura, de los testigos, del notario, se levanta; se apoya en su palo; se marcha pasito a pasito, encorvada, rastreante; abre una puerta; revuelve en un cajón; saca de él un recio cuaderno de papel timbrado; torna a salir del cuarto; mira si la puerta de la calle está bien cerrada; entra otra vez en la cocina y pone, al fin, en mis manos, con una profunda solemnidad, con un profundo misterio, el abultado cartapacio. Yo lo cojo en silencio sin saber lo que hacer; ella me mira emocionada; Gabriel me mira también; Mercedes me mira también.

—Yo quiero —me dice la Xantipa— que usted lea la escritura.

Yo doblo la primera hoja; mis ojos pasan sobre los negros trazos. Y yo no leo, no me doy cuenta de lo que esta prosa curialesca expresa; pero siento que pasa por el aire, vagamente, en este momento, en esta casa, entre estas figuras vestidas de negro que miran ansiosamente a un desconocido que puede traerles la esperanza; siento que pasa un soplo de lo Trágico.

Juana María

Juana María ha venido y se ha sentado un momento en la cocina; Juana María es delgada, esbelta; sus ojos son azules; su cara es ovalada, sus labios son rojos. ¿Es manchega Juana María? ¿Es de Argamasilla? ¿Es del Tomelloso? ¿Es de Puerto Lápiche? ¿Es de Herencia? Juana María es manchega castiza. Y cuando una mujer es manchega castiza, como Juana María, tiene el espíritu más fino, más sutil, más discreto, más delicado que una mujer puede tener. Vosotros entráis en un salón; dais la mano a éstas o a las otras damas; habláis con ellas; observáis sus gestos, examináis sus movimientos; veis cómo se sientan, cómo se levantan, cómo abren una puerta, cómo tocan un mueble. Y cuando os despedís de todas estas damas, cuando dejáis este salón, os percatáis de que tal vez, a pesar de toda la afabilidad, de toda la discreción, de toda la elegancia no queda en vuestros espíritus, como recuerdo, nada de definitivo, de fuerte y de castizo. Y pasa el tiempo; otro día os halláis en una posada, en un cortijo, en una callejuela de una vieja ciudad. Entonces —si estáis en la posada— observáis que en un rincón, casi sumida en la penumbra, se encuentra sentada una muchacha. Vosotros cogéis las tenazas y vais tizoneando; junto al fuego hay asimismo, dos, o cuatro o seis comadres. Todas hablan; todas cuentan —ya lo sabéis— desdichas, muertes, asolamientos, ruinas; la muchacha del rincón calla, vosotros no le dais gran importancia a la muchacha. Pero, durante un momento, las voces de las comadres enmudecen; entonces, en el breve silencio, tal vez como resumen o corolario a lo que se iba diciendo, suena una voz que dice:

—¡Ea, todas las cosas vienen por sus cabales!

Vosotros, que estabais inclinados sobre la lumbre, levantáis rápidamente la cabeza, sorprendidos. ¿Qué voz es ésta? —pensáis vosotros—. ¿Qué tiene esta entonación tan dulce, tan suave, tan acariciadora? ¿Cómo una breve frase puede ser dicha con tan natural y tan supremo arte? Y ya vuestras miradas no se apartan de esta moza de los ojos azules y de los labios rojos. Ella está inmóvil; sus brazos los tiene cruzados sobre el pecho; de cuando en cuando se encorva un poco, asiente a lo que oye con un ligero movimiento de cabeza, o pronuncia unas pocas palabras, mesuradas, corteses, acaso subrayadas por una dulce sonrisa de ironía...

¿Cómo, por qué misterio encontráis este espíritu aristocrático bajo las ropas y atavíos del campesino? ¿Cómo, por qué misterio desde un palacio del Renacimiento, donde este espíritu se formaría hace tres siglos, ha llegado, en estos tiempos, a encontrarse en la modesta casilla de un labriego? Lector: yo oigo, sugestionado, las palabras dulces, melódicas, insinuantes, graves, sentenciosas, suavemente socarronas a ratos, de Juana María. Ésta es la mujer española.

Don Rafael

No he nombrado antes a don Rafael, porque, en realidad, don Rafael vive en un mundo aparte.

—Don Rafael, ¿cómo está usted? —le digo yo.

Don Rafael medita un momento en silencio, baja la cabeza, se mira las puntas de los pies, sube los hombros, contrae los labios y me dice, por fin:

—Señor Azorín, ¿cómo quiere usted que esté yo? Yo estoy un poco echado a perder.

Don Rafael, pues, está un poco echado a perder. Él habita en un caserón vetusto; él vive solo; él se acuesta temprano; él se levanta tarde. ¿Qué hace don Rafael? ¿En qué se ocupa? ¿Qué piensa? No me lo preguntéis; yo no lo sé. Detrás de su vieja mansión se extiende una huerta; esta huerta está algo abandonada; todas las huertas de Argamasilla están algo abandonadas. Hay en ellas altos y blancos álamos, membrilleros achaparrados, parrales largos, retorcidos. Y el río, por un extremo, pasa callado y transparente entre arbustos que arañan sus cristales. Por esta huerta pasea un momento cuando se levanta, en las mañanas claras, don Rafael. Luego marcha al Casino, tosiendo, alzándose el ancho cuello de su pelliza. Yo no sé si sabréis que en todos los casinos de pueblo existe un cuarto misterioso, pequeño, casi oscuro, donde el conserje arregla sus mixturas; a este cuarto acuden y en él penetran, como de soslayo, como cencerros tapados, como hierofantes que van a celebrar un rito oculto, tales o cuales caballeros, que sólo parecen con este objeto, presurosos, enigmáticos, por el Casino. Don Rafael entra también en este cuarto. Cuando sale, él da unas vueltas al sol por la ancha plaza. Ya es media mañana; las horas van pasando lentas; nada ocurre en el pueblo; nada ha ocurrido ayer; nada ocurrirá mañana. ¿Por qué don Rafael vive hace veinte años en este pueblo, dando vueltas por las aceras de la plaza, caminando por la huerta abandonada, viviendo solo en el caserón cerrado, pasando las interminables horas de los días crudos del invierno junto al fuego, oyendo crepitar los sarmientos, viendo bailar las llamas?

—Yo, señor Azorín —me dice don Rafael—, he tenido mucha actividad antes...

Y después añade, con un gesto de indiferencia altiva:

—Ahora ya no soy nada.

Ya no es nada, en efecto, don Rafael; tuvo antaño una brillante posición política; rodó por gobiernos civiles y por centros burocráticos; luego, de pronto, se metió en un caserón de Argamasilla. ¿No sentís una profunda atracción hacia estas voluntades que se han roto súbitamente, hacia estas vidas que se han parado, hacia estos espíritus que —como quería el filósofo Nietzsche— no han podido "sobrepujarse a sí mismos"? Hace tres siglos, en Argamasilla comenzó a edificarse una iglesia; un día, la energía de los moradores del pueblo cesó de pronto; la iglesia, ancha, magnífica, permaneció sin terminar; media iglesia quedó cubierta; la otra media quedó en ruinas. Otro día, en el siglo XVIII, en tierras de este término, intentóse construir un canal; las fuerzas faltaron asimismo, la gran obra no pasó de proyecto. Otro día, en el siglo XIX, pensóse en que la vía férrea atravesase por estos llanos; se hicieron desmontes; abrióse un ancho cauce para desviar el río; se labraron los cimientos de la estación; pero la locomotora no apareció por estos campos. Otro día, más tarde, en el correr de los años, la fantasía manchega ideó otro canal; todos los espíritus vibraron de entusiasmo; vinieron extranjeros; tocaron las músicas en el pueblo; tronaron los cohetes; celebróse un ágape magnífico; se inauguraron soberbiamente las obras, mas los entusiasmos, paulatinamente, se apagaron, se disgregaron, desaparecieron en la inacción y en el olvido... ¿Qué hay en esta patria del buen Caballero de la Triste Figura, que así rompe en un punto, a lo mejor de la carrera, las voluntades más enhiestas? Don Rafael pasea por la huerta, solo y callado, pasea por la plaza, entra en el pequeño cuarto del Casino, no lee, tal vez no piensa.

—Yo —dice él— estoy un poco echado a perder.

Y no hay melancolía en sus palabras; hay una indiferencia, una resignación, un abandono...

Martín

Martín está sentado en el patizuelo de su casa; Martín es un labriego. Las casas de los labradores manchegos son chiquitas, con un corralillo delante, blanqueadas con cal, con una parra que en el verano pone el verde presado de su hojarasca sobre la nitidez de las paredes.

—Martín —le dicen—, este señor es periodista.

Martín, que ha estado haciendo pleita sentado en una sillita terrera, me mira, puesto en pie, con sus ojuelos maliciosos, bailadores, y dice sonriendo:

—Ya, ya; este señor es de los que ponen las cosas en leyenda.

—Este señor —tornan a decirle— puede hacer que tú salgas en los papeles.

—Ya, ya —torna a replicar él, con una expresión de socarronería y de bondad—. ¿Conque este señor puede hacer que Martín, sin salir de su casa, vaya muy largo?

Y sonríe con una sonrisa imperceptible; mas esta sonrisa se agranda, se trueca en un gesto de sensualidad, de voluptuosidad, cuando, al correr de nuestra charla, tocamos en cosas atañederas a los yantares. ¿Tenéis idea vosotros de lo que significa esta palabra magnífica: *galianos*? Los *galianos* son pedacitos diminutos de torta, que se cuecen en un espeso caldo, salteados con trozos de liebre o de pollo. Este manjar es el amor supremo de Martín; no puede concebirse que sobre el planeta haya quien los aderece mejor que él; pensar tal cosa sería un absurdo enorme.

—Los *galianos* —dice sentenciosamente Martín— se han de hacer en caldero; los que se hacen en sartén no valen nada.

Y luego, cuando se le ha hablado largo rato de las diferentes ocasiones memorables en que él ha sido llamado para confeccionar este manjar, él afirma que de todas cuantas veces come de ellos, siempre encuentra mejores los que se halla comiendo, cuando los come.

—Lo que se come en el acto —dice él— es siempre lo mejor.

Y ésta es una grande, una suprema filosofía; no hay pasado ni existe porvenir; sólo el presente es lo real y es lo trascendental. ¿Qué importan nuestros recuerdos del pasado, ni qué valen nuestras esperanzas en lo futuro? Sólo estos suculentos *galianos* que tenemos delante, humeantes en su caldero, son la realidad única; a par de ellos el pasado y el porvenir son fantasías. Y Martín, gordezuelo, afeitado, tranquilo, jovial, con doce hijos, con treinta nietos, continúa en su patizuelo blanco bajo la parra, haciendo pleita, todos los días, un año y otro.

VII
LA PRIMERA SALIDA

Yo creo que le debo contar al lector, punto por punto, sin omisiones, sin efectos, sin lirismos, todo cuanto hago y veo. A las seis, esta mañana, allá en Argamasilla, ha llegado a la puerta de mi posada Miguel con su carrillo. Era ésta una hora en que la insigne ciudad manchega aún estaba medio dormida; pero yo amo esta hora, fuerte, clara, fresca, fecunda, en que el cielo está transparente, en que el aire es diáfano, en que parece que hay en la atmósfera una alegría, una voluptuosidad, una fortaleza que no existe en las restantes horas diurnas.

—Miguel —le he dicho yo—, ¿vamos a marchar?

—Vamos a marchar cuando usted quiera —me ha dicho Miguel.

Y yo he subido en el diminuto y destartalado carro; la jaca —una jaquita microscópica— ha comenzado a trotar vivaracha y nerviosa. Y, ya fuera del pueblo, la llanura ancha, la llanura infinita, la llanura desesperante, se ha extendido ante nuestra vista. En el fondo, allá en la línea remota del horizonte, aparecía una pincelada larga, azul, de un azul claro, tenue, suave; acá y allá, refulgiendo al sol, destacaban las paredes blancas, nítidas, de las casas diseminadas en la campiña; el camino, estrecho, amarillento, se perdía ante nosotros, y de una banda y de otra, a derecha e izquierda, partían centenares y centenares de surcos, rectos, interminables, simétricos.

—Miguel —he dicho yo—, ¿qué montes son esos que se ven en el fondo?

—Esos montes —me contesta Miguel— son los montes de Villarrubia.

La jaca corre desesperada, impetuosa; las anchurosas piezas se suceden iguales, monótonas; todo el campo es un llano uniforme, gris, sin un altozano, sin la más suave ondulación. Ya han quedado atrás, durante un momento, las hazas sembradas, en que el trigo temprano o el alcacel comienzan a verdear sobre los surcos; ahora todo el campo que abarca nuestra vista es una extensión gris, negruzca, desolada.

—Esto —me dice Miguel— es *liego*; un año se hace la barbechera y otro se siembra.

Liego vale tanto como eriazo; un año las tierras son sembradas, otro año se dejan sin labrar, otro año se labran —y es lo que lleva el nombre de barbecho—, otro año se vuelven a sembrar. Así una tercera parte de la tierra, en esta extensión inmensa de la Mancha, es sólo utilizada. Yo extiendo la vista por esta llanura monótona; no hay ni un árbol en toda ella; no hay en toda ella ni una sombra; a trechos, cercanos unas veces, distantes otros, aparecen en medio de los anchurosos bancales sembradizos diminutos, pináculos de piedra; son los *majanos*; de lejos, cuando la vista los columbra allá en la línea remota del horizonte, el ánimo desesperanzado, hastiado, exasperado, cree divisar un pueblo. Mas el tiempo va pasando; unos bancales se suceden a otros; y lo que juzgábamos poblado se va cambiando, cambiando en estos pináculos de cantos grises, desde los cuales, inmóvil, misterioso, irónico, tal vez un cuclillo —uno de estos innumerables cuclillos de la Mancha— nos mira con sus anchos y gualdos ojos...

Ya llevamos caminando cuatro horas; son las once; hemos salido a las siete de la mañana. Atrás, casi invisible, ha quedado el pueblo de Argamasilla; sólo nuestros ojos, al ras de la llanura, columbran el ramaje negro, fino, sutil, aéreo de la arboleda que exorna el río; delante destaca siempre, inevitable, en lo hondo, el azul, ya más intenso, ya más sombrío, de la cordillera lejana. Por este camino, a través de estos llanos, a estas horas precisamente, caminaba una mañana ardorosa de julio el gran Caballero de la Triste Figura; sólo recorriendo estas llanuras, empapándose de este silencio, gozando de la austeridad de este paisaje, es como se acaba de amar del todo íntimamente, profundamente, esta figura dolorosa. ¿En qué pensaba don Alonso Quijano, *el Bueno*, cuando iba por estos campos a horcajadas en Rocinante, dejadas las riendas de la mano, caída la noble, la pensativa, la ensoñadora cabeza sobre el pecho? ¿Qué planes, qué ideas imaginaba? ¿Qué inmortales y generosas empresas iba fraguando?

Mas ya, mientras nuestra fantasía —como la del hidalgo manchego— ha ido corriendo, el paisaje ha sufrido una mutación considerable. No os esperancéis; no hagáis que vuestro ánimo se regocije; la llanura es la misma; el horizonte es idéntico; el cielo es el propio cielo radiante; el horizonte es el horizonte de siempre, con su montaña zarca; pero en el llano han aparecido unas carrascas bajas, achaparradas, negruzcas, que ponen intensas manchas rotundas sobre la tierra hosca. Son las doce de la mañana; el campo es pedregoso; flota en el ambiente cálido de la primavera naciente un grato olor de romero, de tomillo y de salvia; un camino cruza hacia Manzanares. ¿No sería acaso en este paraje, junto a este camino, donde Don Quijote encontró a Juan Haldudo, el vecino de Quintanar? ¿No fue ésta una de las más altas empresas del caballero?

¿No fue atado Andresillo a una de esas carrascas y azotado bárbaramente por su amo? Ya Don Quijote había sido armado caballero; ya podía meter el brazo hasta el codo en las aventuras; estaba contento; estaba satisfecho; se sentía fuerte; se sentía animoso. Y entonces, de vuelta a Argamasilla, fue cuando deshizo este estupendo entuerto. "He hecho al fin —pensaba él— una gran obra." Y en tanto, Juan Haldudo amarraba otra vez al mozuelo a la encina y proseguía en el despiadado vapuleo. Esta ironía honda y desconsoladora tienen todas las cosas de la vida...

Pero, lector, prosigamos nuestro viaje; no nos entristezcamos. Las quiebras de la montaña lajana ya se ven más distantes; el color de las faldas y de las cumbres, de azul claro ha pasado a azul gris. Una avutarda cruza lentamente, pausadamente, sobre nosotros; una banda de grajos, posada en un bancal, levanta el vuelo y se aleja graznando; la transparencia del aire, extraordinaria, maravillosa, nos deja ver las casitas blancas remotas; el llano continúa monótono, yermo. Y nosotros, tras horas y horas de caminata por este campo, nos sentimos abrumados, anonadados, por la llanura inmutable, por el cielo infinito, transparente, por la lejanía inaccesible. Y ahora es cuando comprendemos cómo Alonso Quijano había de nacer en estas tierras, y cómo su espíritu, sin trabas, libre, había de volar frenético por las regiones del ensueño y de la quimera. ¿De qué manera no sentirnos aquí desligados de todo? ¿De qué manera no sentir que un algo misterioso, que un anhelo que no podemos explicar, que un ansia indefinida, inefable, surge de nuestro espíritu? Esta ansiedad, este anhelo es la llanura gualda, bermeja, sin una altura, que se extiende bajo un cielo sin nubes, hasta tocar, en la inmensidad remota, con el telón azul de la montaña. Y esta ansia y este anhelo es el silencio profundo, solemne, del campo desierto, solitario. Y es la avutarda que ha cruzado sobre nosotros con aleteos pausados. Y son los montecillos de piedra, perdidos en la estepa, y desde los cuales, irónicos, misteriosos, nos miran los cuclillos...

Pero el tiempo ha ido transcurriendo: son las dos de la tarde; ya hemos atravesado rápidamente el pueblecillo de Villarta; es un pueblo blanco, de un blanco intenso, de un blanco mate, con las puertas azules. El llano pierde su uniformidad desesperante; comienza a levantarse el terreno en suaves ondulaciones; la tierra es de un rojo sombrío; la montaña aparece cercana, en sus laderas se asientan cenicientos olivos. Ya casi estamos en el famoso Puerto Lápiche. El puerto es un anchuroso paso que forma una depresión de la montaña; nuestro carro sube corriendo por el suave declive; muere la tarde; las casas blancas del lugar aparecen de pronto. Entramos en él; son las cinco de la tarde; mañana hemos de ir a la venta famosa donde Don Quijote fue armado caballero.

Ahora, aquí en la posada del buen Higinio Marcaraque, yo he entrado en un cuartito pequeño, sin ventanas, y me he puesto a escribir, a la luz de una bujía, estas cuartillas.

VIII
LA VENTA DE PUERTO LÁPICHE

Cuando yo salgo de mi cuchitril, en el mesón de Higinio Marcaraque, situado en Puerto Lápiche, son las seis de la mañana. Andrea —una vieja criada— está barriendo en la cocina con una escobita sin mango.

—Andrea, ¿qué tal? —le digo yo, que ya me considero como un antiguo vecino de Puerto Lápiche—. ¿Cómo se presenta el día? ¿Qué se hace?

—Ya lo ve usted —contesta ella—; *trajinandillo*.

Yo le pregunto después si conoce a don José Antonio; ella me mira como extrañando que yo pueda creer que no conoce a don José Antonio.

—¡Don José Antonio! —exclama ella al fin—. ¡Pues si es más bueno este hombre!

Yo decido ir a ver a don José Antonio. Ya los trajineros y carreros de la posada están en movimiento; del patio los carros van partiendo. Pascual ha salido para Villarrubia con una carga de cebollas y un tablar de acelgas; Cesáreo lleva una bomba para vino a la quintería del brochero; Ramón va con un carro de vidriado con dirección a Manzanares. El pueblo comienza a despertar; hay en el cielo unos tenues nubarrones que poco a poco van desapareciendo; se oye el tintinear de los cencerros de unas cabras; pasa un porquero lanzando grandes y tremebundos gritos. Puerto Lápiche está formado sólo por una calle ancha, de casas altas, bajas, que entran, que salen, que forman recodos, esquinazos, rincones. La carretera espaciosa, blanca, cruza por en medio. Y por la situación del pueblo, colocado en lo alto de la montaña, en la amplia depresión de la serranía abrupta, se echa de ver que este lugar se ha ido formando lentamente, al amparo del tráfico continuo, alimentado por el ir y venir sin cesar de viandantes.

Ya son las siete. Don José Antonio tiene de par en par su puerta abierta. Yo entro y digo, dando una gran voz:

—¿Quién está aquí?

Un señor aparece en el fondo, allá en un extremo de un largo y oscuro pasillo. Este señor es don José Antonio, es decir, es el médico único de Puerto Lápiche. Yo veo que, cuando se descubre, muestra una calva rosada, reluciente; yo veo también que tiene unos ojos anchos, expresivos; que lleva un bigotito gris sin guías, romo, y que sonríe, sonríe, con una de esas sonrisas inconfundibles, llenas de bondad, llenas de luz, llenas de una vida interna intensa, tal vez de resignación, tal vez de hondo dolor.

—Don José Antonio —le digo, cuando hemos cambiado las imprescindibles frases primeras—, don José Antonio, ¿es verdad que existe en Puerto Lápiche aquella venta famosa en que fue armado caballero Don Quijote?

Don José Antonio sonríe un poco.

—Ésa es mi debilidad —me dice—; esa venta existe, es decir, existía; yo he preguntado a todos los más viejos del pueblo sobre ella; yo he recogido todos los datos que me ha sido posible... y —añade con una mirada con que parece pedirme excusas— he escrito algunas cosillas de ella, que ya verá usted luego.

Don José Antonio se halla en una salita blanca, desnuda; en un rincón hay una estufa; un poco más lejos destaca un aparador; en otro ángulo se ve una máquina de coser. Y encima de esa máquina reposan unos papeles grandes, revueltos. La señora de don José Antonio está sentada junto a la ventana.

—María —le dice don José Antonio—, dame esos papeles que están sobre la máquina.

Doña María se levanta y recoge los papeles. Yo tengo una grande, una profunda simpatía por estas señoras de pueblo; un deseo de parecer bien las hace ser un poco tímidas; acaso visten trajes un poco usados; quizá cuando se presente un huésped, de pronto, en sus casas modestas, ellas se azoran levemente y enrojecen ante su vajilla de loza recia o sus muebles sencillos; pero hay en ellas una bondad, una ingenuidad, una sencillez, un ansia de agradar, que os hacen olvidar en un minuto, encantados, el mantel de hule, los desportillos de los platos, las inadvertencias de la criada, los besuqueos a vuestros pantalones de este perro terrible, a quien no habíais visto jamás y que ahora no puede apartarse de vuestro lado. Doña María le ha entregado los papeles a don José Antonio.

—Señor Azorín —me dice el buen doctor, alargándome un ancho cartapacio—, señor Azorín, mire usted en lo que yo me entretengo.

Yo cojo en mis manos el ancho cuaderno.

—Esto —añade don José Antonio— es un periódico que yo hago; durante la semana le escribo de mi puño y letra; luego, el domingo, lo llevo al Casino; allí lo leen los socios y después me lo vuelvo a traer a casa para que la colección no quede descabalada.

En este periódico don José Antonio escribe artículos sobre higiene, sobre educación y da las noticias de la localidad.

—En este periódico —dice don José Antonio— es donde yo he escrito los artículos que antes he mencionado. Pero más luz que estos artículos, señor Azorín, le dará a usted el contemplar el sitio mismo de la célebre venta. ¿Quiere usted que vayamos?

—Vamos allá —contesto yo.

Y salimos. La venta está situada a la salida del pueblo; casi las postreras casas tocan con ella. Mas yo estoy hablando como si realmente la tal venta existiese, y la tal venta, amigo lector, no existe. Hay, sí, un gran rellano en que crecen plantas silvestres. Cuando nosotros llegamos ya el sol llena con sus luces doradas la campiña. Yo examino el solar donde estaba la venta; todavía se conserva, a trechos, el menudo empedrado del patio, un hoyo angosto indica lo que perdura del pozo; otro hoyo, más amplio, marca la entrada de la cueva o bodega. Y permanecen en pie, en el fondo, agrietadas, cuarteadas, cuatro paredes rojizas, que forman un espacio cuadrilongo, sin techo, resto del antiguo pajar. Esta venta era anchurosa, inmensa; hoy el solar mide más de ciento sesenta metros cuadrados. Colocada en lo alto del Puerto, besando la ancha vía, sus patios, sus cuartos, su zaguán, su cocina estarían a todas horas rebosantes de pasajeros de todas clases y condiciones; a una banda del Puerto se abre la tierra de Toledo; a otra, la región de la Mancha. El ancho camino iba recto desde Argamasilla hasta la venta. El mismo pueblo de Argamasilla era frecuentado de día y de noche por los viandantes que marchaban a una parte y a otra. "Es pueblo pasajero —dicen en 1575 los vecinos en su informe a Felipe II—; es pueblo pasajero y que está en el camino real que va de Valencia y Murcia y Almansa y Yecla". ¿Se comprende cómo Don Quijote, retirado en un pueblecillo modesto, pudo allegar, sin salir de él, todo el caudal de sus libros de caballerías? ¿No proporcionarían tales libros al buen hidalgo gentes de humor que pasaban de Madrid o de Valencia y que acaso se desahogarían de la fatiga del viaje charlando un rato amenamente con este caballero fantaseador? ¿Y no le dejarían gustosos, como recuerdo, a cambio de sus razones bizarras, un libro de *Amadís* o de *Tirante el Blanco*? ¡Y cuánta casta de pintorescos tipos de gentes varias, de sujetos miserables y altos no debió de encontrar Cervantes en esta venta de Puerto Lápiche en las veces innumerables que en ella se detuvo! ¿No iba a cada momento de su amada tierra manchega a las regiones de Toledo? ¿No tenía en el pueblo toledano de Esquivias sus amores? ¿No descansaría en esta venta, veces y veces, entre pícaros, mozas del partido, cuadrilleros, gitanos, oidores, soldados, clérigos, mercaderes, titiriteros, trashumantes, actores?

Yo pienso en todo esto mientras camino, abstraído, por el ancho ámbito que fue patio de la posada; aquí veló Don Quijote sus armas una noche de luna.

—Señor Azorín, ¿qué le parece a usted? —me pregunta don José Antonio.

—Está muy bien, don José Antonio —contesto yo.

Ya la niebla que velaba la lejana llanura se ha disipado. Enfrente de la venta destaca, a dos pasos, negruzca, con hileras de olivos en sus faldas, una montaña; detrás, aparece otro monte. Son las dos murallas del Puerto. Ha llegado la hora de partir. Don José Antonio me acompaña un momento por la carretera adelante; él está enfermo; él tiene un cruelísimo y pertinaz achaque; él sabe que no se ha de curar; los dolores atroces han ido poco a poco purificando su carácter; toda su vida está hoy en sus ojos y en su sonrisa. Nos hemos despedido; acaso yo no ponga de nuevo mis pies en estos sitios. Yo he columbrado a lo lejos, en la blancura de la carretera, cómo desaparecía este buen amigo de una hora, a quien no veré más...

IX
CAMINO DE RUIDERA

Las andanzas, desventuras, calamidades y adversidades de este cronista es posible que lleguen algún día a ser famosas en la Historia. Después de las veinte horas de carro que la ida y vuelta a Puerto Lápiche suponen, hétenos aquí ya en la aldea de Ruidera —célebre por las lagunas próximas—, aposentados en el mesón de Juan, escribiendo estas cuartillas, apenas echado pie a tierra, tras ocho horas de traqueteo furioso y de tumbos y saltos en los hondos relejes del camino, sobre los pétreos alterones. Hemos salido a las ocho de Argamasilla, la llanura es la misma llanura yerma, parda, desolada, que se atraviesa para ir a los altos de Puerto Lápiche; mas hay por este extremo de la campiña, como alegrándola a trechos, acá y allá, macizos de esbeltos álamos, grandes chopos, que destacan confusamente, como velados, en el ambiente turbio de la mañana. Por esta misma parte por donde yo acabo de partir de la villa, hacía sus salidas el Caballero de la Triste Figura; su casa —hoy extensa bodega— lindaba con la huerta; una amena y sombría arboleda entoldaba gratamente el camino; cantaban en ella los pájaros, unas urracas, ligeras y elegantes, saltarían —como ahora— de rama en rama y desplegarían a trasluz sus alas de nítido blanco e intenso negro. Y el buen caballero, tal vez cansado de leer y releer en su estancia, iría caminando lentamente, bajo las frondas, con un libro en la mano, perdido en sus quimeras, ensimismado en sus ensueños. Ya sabéis que don

Alonso Quijano, *el Bueno*, dicen que era el hidalgo don Rodrigo Pacheco. ¿Qué vida misteriosa, tremenda, fue la de este Pacheco? ¿Qué tormentas y desvaríos conmoverían su ánimo? Hoy, en la iglesia de Argamasilla, puede verse un lienzo patinoso, desconchado; en él, a la luz de un cirio que ilumina la sombría capilla, se distinguen unos ojos hundidos, espirituales, dolorosos, y una frente ancha, pensativa, y unos labios finos, sensuales, y una barba rubia, espesa, acabada en una punta aguda. Y debajo, en el lienzo, leemos que esta pintura es un voto que el caballero hizo a la Virgen por haberle librado de una "gran frialdad que se le cuajó dentro del cerebro" y que le hacía lanzar grandes clamores "de día y de noche"...

Pero ya la llanura va poco a poco limitándose; el lejano telón azul, grisáceo, violeta, de la montaña, está más cerca; unas alamedas se divisan entre los recodos de las lomas bajas, redondeadas, henchidas suavemente. A nuestro paso, las picazas se levantan de los sembrados, revuelan un momento, mueven en el aire nerviosas su fina cola, se precipitan raudas, tornan a caer blandamente en los surcos... Y a las piezas paniegas suceden los viñedos, dentro de un momento nos habremos ya internado en los senos y rincones de la montaña. El cielo está limpio, diáfano; no aparece ni la más tenue nubecilla en la infinita y elevada bóveda de azul pálido. En una viña podan las cepas unos labriegos; entre ellos trabaja una moza, con la falda arregazada, cubriendo sus piernas con unos pantalones hombrunos.

—Están sarmenteando —me dice Miguel, el viejo carretero—; la moza tiene dieciocho años y es vecina mía.

Y luego, echando el busto fuera del carro, vocea, dirigiéndose a los labriegos:

—¡A ver cuándo rematáis y os marcháis a mis viñas!

El carro camina por un caminejo hondo y pedregoso; hemos dejado atrás el llano; desfilamos bordeando terrenos, descendiendo a hondonadas, subiendo de nuevo a oteros y lomazos. Ya hemos entrado en lo que los moradores de esos contornos llaman "la Vega"; esta vega es una angosta y honda cañada yerma, por cuyo centro corre encauzado el Guadiana. Son las diez y media; ante nosotros aparece, vetusto y formidable, el castillo de Peñarroya. Subimos hasta él. Se halla asentado en un eminente terraplén de la montaña; aún perduran de la fortaleza antigua un torreón cuadrado, sólido, fornido, indestructible, y las recias murallas —con sus barbacanas, con sus saeteras— que la cercaban. Y hay también un ancho salón, que ahora sirve de ermita. Y una viejecita menuda, fuerte como estos muros, rojiza como estos muros, es la que guarda el secular castillo y pone aceite en la lámpara de la iglesia. Yo he subido con ella a la recia torre; la escalerilla es estrecha, resbaladiza, lóbrega; dos anchas estancias constituyen los dos pisos. Y desde lo alto, desde encima de la techumbre, la vista descubre un panorama adusto, luminoso. La cañada se pierde a lo lejos en amplios culebreos; son negras las sierras bajas que la forman; los lentiscos —de un verde cobrizo— la tapizan a rodales; las carrascas ponen su nota hosca y cenicienta. Y en lo hondo del ancho cauce, entre estos paredones sombríos, austeros, se despliega la nota amarilla, dorada, de los extensos carrizales. Y en lo alto se extiende infinito el cielo azul, sin nubes.

—Los ingleses —me dice la guardadora del castillo— cuando vienen por aquí lo corren todo; parecen cabras: se suben a todas las murallas.

"Los ingleses —me decía don José Antonio en la venta de Puerto Lápiche— se llevan los bolsillos llenos de piedras". "Los ingleses —me contaba en Argamasilla un morador de la prisión de Cervantes— entran aquí y se están mucho tiempo pensando; uno hubo que se arrodilló y besó la tierra dando gritos." ¿No veis en esto el culto que el pueblo más idealista de la tierra profesa al más famoso y alto de todos los idealistas?

El castillo de Peñarroya no encierra ningún recuerdo quijotesco; pero, ¡cuántos días no debió de venir hasta él, traído por sus imaginaciones, el grande don Alonso Quijano! Mas es preciso que continuemos nuestro viaje; demos de lado a nuestros sueños. El día ha promediado; el camino no se aparta ni un instante del hondo cauce del Guadiana. Vemos ahora las mismas laderas negras, los mismos carrizos áureos; acaso un águila, en la lejanía, se mece majestuosa en los aires; más allá, otra águila se cierne con iguales movimientos rítmicos, pausados; una humareda azul, en la lontananza, asciende en el aire transparente, se disgrega, desaparece. Y en este punto, en nuestro andar incesante, descubrimos lo más estupendo, lo más extraordinario, lo más memorable y grandioso de este viaje. Una casilla baja, larga, con pardo tejadillo de tejas rotas, muéstrase oculta, arrebozada entre las gráciles enramadas de olmos y chopos; es un batán, mudo, envejecido, arruinado. Dos pasos más allá, otras paredes terreras y negruzcas destacan entre una sombría arboleda. Y delante, cuatro, seis, ocho robustos, enormes mazos de madera descansan inmóviles en espaciosas y recias cajas. Y un raudal espumeante de agua cae, rumoroso, estrepitoso, en la honda fosa donde la enorme rueda que hace andar los batanes permanece callada. Hay en el aire una diafanidad, una transpa-

rencia extraordinaria; el cielo es azul; el carrizal
que lleva al río ondula con mecimientos suaves; las
ramas finas y desnudas de los olmos se perfilan
graciosas en el ambiente; giran y giran las águilas,
pausadas; las urracas saltan y levantan sus colas
negras. Y el sordo estrépito del agua, incesante, fra-
goroso, repercute en la angosta cañada...

Éstos, lector, son los famosos batanes que en noche
memorable, tanta turbación, tan profundo pavor lle-
varon a los ánimos de Don Quijote y Sancho Panza.
Las tinieblas habían cerrado sobre ellos el campo,
habían caminado a tientas las dos grandes figuras
por entre una arboleda; un son de agua apacible
alegróles de pronto; poco después un formidable
estrépito de hierros, de cadenas, de chirridos y de
golpazos, les dejó atemorizados, suspensos. Sancho
temblaba; Don Quijote, transcurrido el primer instante, sintió surgir en él su intrepidez de siempre;
rápidamente montó sobre el buen Rocinante; luego
hizo saber a su escudero su propósito incontrastable
de acometer esta aventura. Lloraba Sancho; porfia-
ba Don Quijote; el estruendo proseguía atronador.
Y en tanto, tras largos dimes y réplicas, tras angus-
tiosos tártagos, fue quebrando lentamente la aurora.
Y entonces amo y criado vieron estupefactos los seis
batanes incansables, humildes, prosaicos, majando
en sus recios cajones. Don Quijote quedóse un momento pensativo. "Miróle Sancho —dice Cervantes—
y vio que tenía la cabeza inclinada sobre el pecho,
con muestras de estar corrido..."

Y aquí acaeció, ante estos batanes que aún perduran, esta íntima y dolorosa humillación del buen
manchego; a la otra parte del río, vese aún espesa
arboleda; desde ella, sin duda, es desde donde Don
Quijote y su escudero oirían sobrecogidos el ruido
temeroso de los mazos. Hoy los batanes permanecen

callados los más días del año; hasta hace poco trabajaban catorce o dieciséis en la vega. "Ahora —me dice el dueño de los únicos que aún trabajan— con dos tan sólo bastan". Y vienen a ellos los paños de Daimiel, de Villarrobledo, de la Solana, de la Alhambra, de Infantes, de Argamasilla; su mayor actividad tiénenla cuando el trasquileo se efectúa en los rebaños; luego, el resto del año, permanecen en reposo profundo, en tanto que el agua cae inactiva en lo hondo y las picazas y las águilas se ciernen, sobre ellos, en las alturas...

Y yo prosigo en mi viaje; pronto va a tocar a su término. Las lagunas de Ruidera comienzan a descubrir, entre las vertientes negras, sus claros, azules, sosegados, limpios espejos. El camino da una revuelta; allozos en flor —flores rojas; flores pálidas— bordean sus márgenes. Allá en lo alto aparecen las viviendas blancas de la aldea; dominándolas, protegiéndolas, surge sobre el añil del cielo, un caserón vetusto...

Paz de la aldea, paz amiga, paz que consuelas al caminante fatigado, ¡ven a mi espíritu!

X
LA CUEVA DE MONTESINOS

Ya el cronista se siente abrumado, anonadado, exasperado, enervado, desesperado, alucinado por la visión continua, intensa, monótona de los llanos de barbecho, de los llanos de eriazo, de los llanos cubiertos de un verdor imperceptible, tenue. En Ruidera, después de veintiocho horas de carro, he descansado un momento; luego, venida la mañana, aún velado el cielo por los celajes de la aurora, hemos salido para la cueva de Montesinos. Cervantes dice que de la aldea hasta la cueva median dos leguas; ésta es la cifra exacta. Y cuando se sale del poblado, por una callejuela empinada, tortuosa, de casas bajas, cubiertas de carrizo, cuando ya en lo alto de los lomazos hemos dejado atrás la aldea, ante nosotros se ofrece un panorama nuevo, insólito, desconocido, en esta tierra clásica de las llanadas; pero no menos abrumador, no menos uniforme que la campiña rasa. No es ya la llanura pelada, no son los surcos paralelos, interminables, simétricos; no son las lejanías inmensas que acaban con la pincelada azul de una montaña. Es, sí, un paisaje de lomas, de ondulaciones amplias, de oteros, de recuestos, de barrancos hondos, rojizos, y de cañadas que se alejan entre vertientes con amplios culebreos. El cielo es luminoso, radiante; el aire es transparente, diáfano; la tierra es de un color grisáceo, negruzco. Y sobre las colinas sombrías, hoscas, los romeros, los tomillos, los lentiscos extienden su vegetación acerada, enhiesta; los chaparrales se dilatan en difusas manchas; y las ca-

rrascas con sus troncos duros, rígidos, elevan sus co-
pas cenicientas que destacan rotundas, enérgicas en
el añil intenso...

Llevamos ya una hora caminando a lomos de roci-
nes infames; las colinas, los oteros y los recuestos se
suceden unos a otros, siempre iguales, siempre los
mismos, en un suave oleaje infinito; reina un denso
silencio; allá a lo lejos, entre la fronda terrena y
negra, brillan, refulgen, irradian las paredes nítidas
de una casa; un águila se mece sobre nosotros blandamente; se oye, de tarde en tarde, el abaniqueo
súbito y ruidoso de una perdiz que salta. Y la senda,
la borrosa senda que nosotros seguimos, desaparece,
reaparece, torna a esfumarse. Y nosotros marchamos
lentamente, parándonos, tornando a caminar bus-
cando el escondido caminejo perdido entre lentiscos,
chaparros y atochares.

—Estas sendas —me dice el guía— son sendas per-
diceras, y hay que sacarlas por conjetura.

Otro largo rato ha transcurrido. El paisaje se hace
más amplio, se dilata, se pierde en una sucesión inacabable de altibajos plomizos. Hay en esta campiña
bravía, salvaje, nunca rota, una fuerza, una hosque-
dad, una dureza, una autoridad indómita que nos
hace pensar en los conquistadores, en los guerreros,
en los místicos, en las almas, en fin, solitarias y alu-
cinadas, tremendas, de los tiempos lejanos. Ya a
nuestra derecha, la tierra cede de pronto y desciende
en una rápida vertiente; nos encontramos en el fondo de una cañada. Y yo os digo que estas cañadas
silenciosas, desiertas, que encontramos tras largo caminar, tienen un encanto inefable. Tal vez su fondo
es arenoso; las laderas que lo forman aparecen rojizas, rasgadas por las lluvias; un allozo solitario
crece en una ladera: se respira en toda ella un silencio sedante, profundo. Y si mana en un recodo, entre

juncales, una fuentecica, sus aguas tienen un son dulce, susurrante, cariñoso, y en sus cristales transparentes se espeja acaso durante un momento una nube blanca que cruza lenta por el espacio inmenso. Nosotros hemos encontrado en lo hondo de este barranco un nacimiento tal como éstos; largo rato hemos contemplando sus aguas; después, con un vago pesar, hemos escalado la vertiente de la cañada y hemos vuelto a empapar nuestros ojos con la austeridad ancha del paisaje ya visto. Y caminábamos, caminábamos, caminábamos. Nuestras cabalgaduras tuercen, tornan a torcer, a la derecha, a la izquierda, entre cimas, entre chaparros, sobre lomas negras. Suenan las esquilas de un ganado, aparecen diseminadas acá y allá las cabras negras, rojas, blancas, que nos miran un instante atónitas, curiosas, con sus ojos brillantes.

—Ya estamos —grita el guía de pronto.

En la Mancha "una tirada" son seis u ocho kilómetros; "estar cerca" equivale a estar a una distancia de dos kilómetros; "estar muy cerca" vale tanto como expresar que aún nos queda por recorrer un kilómetro largo. Ya estamos cerca de la cueva famosa; hemos de doblar un eminente cerro que se yergue ante nuestra vista; luego hemos de descender por un recuesto; después hemos de atravesar una hondonada. Y, al fin, ya realizadas todas estas operaciones, descubrimos en un declive una excavación somera, abierta en tierra roja.

—"¡Oh, señora de mis acciones y movimientos, clarísima y sin par Dulcinea del Toboso!" —gritaba el incomparable Caballero, de hinojos ante esta oquedad roja, en día memorable, en tanto que levantaba al cielo sus ojos soñadores.

La empresa que iba a llevar a cabo era tremenda; tal vez pueda ser ésta reputada como la más alta de sus hazañas. Don Alonso Quijano, *el Bueno*, está inmóvil, arrogante, ante la cueva; si en su espíritu hay un leve temor en esta hora, no lo vemos nosotros.

Don Alonso Quijano, *el Bueno*, va a deslizarse por la honda sima. ¿Por qué no entrar donde él entrara? ¿Por qué no poner en estos tiempos, después que pasaron tres siglos, nuestros pies donde sus plantas firmes, audaces, se asentaron? Reparad en que ya el acceso a la cueva ha cambiado; antaño —cuando hablaba Cervantes— crecían en la ancha entrada tupidas zarzas, cambroneras y cabrahigos; ahora, en la peña lisa, se enrosca una parra desnuda. Las paredes recias, altas, de la espaciosa bóveda son grises, bermejas, con manchones, con chorreaduras de líquenes verdes y líquenes gualdos. Y a punta de navaja y en trozos desiguales, inciertos, los visitantes de la cueva, en diversos tiempos, han dejado esculpidos sus nombres para recuerdo eterno. "Miguel Yáñez, 1854", "Enrique Alcázar, 1851", podemos leer en una parte. "Domingo Carranza, 1870", "Mariano Merlo, 1883", vemos más lejos. Unos peñascales caídos del techo cierran el fondo; es preciso sortear por entre ellos para bajar a lo profundo.

—"¡Oh, señora de mis acciones y movimientos —repite Don Quijote—, clarísima y sin par Dulcinea del Toboso! Si es posible que lleguen a tus oídos las plegarias y rogaciones de este tu venturoso amante, por tu inaudita belleza te ruego las escuches, que no son otras que rogarte no me niegues tu favor y amparo ahora que tanto lo he menester."

Los hachones están ya llameando; avanzamos por la lóbrega quiebra; no es preciso que nuestros cuerpos vayan atados con recias sogas; no sentimos contrariedad —como el buen don Alonso— por no haber traído con nosotros un esquilón para hacer llamadas y señales desde lo hondo; no saltan a nuestro paso ni siniestros grajos y cuervos, ni alevosos y elásticos murciélagos. La luz se va perdiendo en un leve resplandor allá arriba; el piso desciende en un declive suave, resbaladizo, bombeado; sobre nuestras cabezas se extiende anchurosa, elevada, cóncava, rezumante, la bóveda de piedra. Y como vamos bajando lentamente y encendiendo a la par hacecillos de hornija y hojarasca, un reguero de luces escalonadas se muestra en lontananza, disipando sus resplandores rojos las sombras, dejando ver la densa y blanca neblina de humo que ya llena la cueva. La atmósfera es densa, pesada; se oye de rato en rato, en el silencio, un gotear pausado, lento, de aguas que caen del techo. Y en el fondo, abajo, en los límites del anchuroso ámbito, entre unas quiebras rasgadas, aparece un agua callada, un agua negra, un agua profunda, un agua inmóvil, un agua misteriosa, un agua milenaria; un agua ciega que hace un sordo ruido indefinible —de amenaza y lamento— cuando arrojamos sobre ella unos pedruscos. Y aquí, en estas aguas que reposan eternamente, en las tinieblas, lejos de los cielos azules, lejos de las nubes amigas de los estanques, lejos de los menudos lechos de piedras blancas, lejos de los juncales, lejos de los álamos vanidosos que se miran en las corrientes; aquí, en estas aguas torvas, condenadas, está toda la sugestión, toda la poesía inquietadora de esta cueva de Montesinos...

Cuando nosotros hemos salido a la luz del día hemos respirado ampliamente. El cielo se había entoldado con nubajes plomizos, corría un viento furioso que hacía gemir en la montaña las carrascas; una lluvia fría, pertinaz, caía a intervalos. Y hemos vuelto a caminar, a caminar a través de oteros negros, de lomas negras, de vertientes negras. Bandadas de cuervos pasan sobre nosotros; el horizonte, antes luminoso, está velado por una cortina de nieblas grises;

invade el espíritu una sensación de estupor, de anona-
damiento, de *no ser*.

—"Dios os lo perdone, amigos, que me habéis qui-
tado de la más sabrosa y agradable vida y vista que
ningún humano ha visto ni pasado" —decía Don
Quijote cuando fue sacado de la caverna.

El buen caballero había visto dentro de ella prados
amenos y palacios maravillosos. Hoy Don Quijote re-
divivo no bajaría a esta cueva; bajaría a otras mansiones subterráneas más hondas y temibles. Y en
ellas, ante lo que allí viera, tal vez sentiría la sorpresa, el espanto y la indignación que sintió en la noche
de los batanes, o en la aventura de los molinos, o
ante los felones mercaderes que ponían en tela de
juicio la realidad de su princesa. Porque el gran idealista no vería negada a Ducinea; pero vería negada
la eterna justicia y el eterno amor de los hombres.

Y estas dolorosas remembranzas es la lección que
sacamos de la cueva de Montesinos.

XI
LOS MOLINOS DE VIENTO

Los molinos de Criptana andan y andan.

—¡Sacramento! ¡Tránsito! ¡María Jesús!

Yo llamo, dando grandes voces, a Sacramento, a Tránsito y a María Jesús. Hasta hace un momento he estado leyendo en el *Quijote*; ahora la vela que está en la palmatoria se acaba, me deja en las tinieblas. Y yo quiero escribir unas cuartillas.

—¡Sacramento! ¡Tránsito! ¡María Jesús!

¿Dónde estarán estas muchachas? He llegado a Criptana hace dos horas; a lo lejos, desde la ventanilla del tren, yo miraba la ciudad blanca, enorme, asentada en una ladera, iluminada por los resplandores rojos, sangrientos, del crepúsculo. Los molinos, en lo alto de la colina, movían lentamente sus aspas; la llanura bermeja, monótona, rasa, se extendía abajo. Y en la estación, a la llegada, tras una valla, he visto unos coches vetustos; uno de estos coches de pueblo, uno de estos coches en que pasean los hidalgos, uno de estos coches desteñidos, polvorientos, ruidosos, que caminan todas las tardes por una carretera exornada con dos filas de arbolillos menguados, secos. Dentro, las caras de estas damas —a quienes yo tanto estimo— se pegaban a los cristales escudriñando los gestos, los movimientos, los pasos de este viajero único, extraordinario, misterioso, que venía en primera con unas botas rotas y un sombrero grasiento. Caía la tarde; los coches han partido con estrépito de tablas y de herrajes, yo he emprendido la caminata por la carretera adelante, hacia el lejano pueblo. Los coches han dado la vuelta; las caras de estas buenas señoras —doña Juana, doña Angustias o doña Consuelo— no se apartaban de los cristales. Yo iba embozado en mi capa lentamente, como un viandante, cargado con el peso de mis desdichas. Los anchurosos corrales manchegos han comenzado a aparecer a un lado y a otro del camino; después han venido las casas blanqueadas, con las puertas azules; más lejos se han mostrado los caserones, con anchas y saledizas rejas rematadas en cruces. El cielo se ha ido entenebreciendo; a lo lejos, por la carretera, esfumados en la penumbra del crepúsculo, marchan los coches viejos, los coches venerables, los coches fatigados. Cruzan por las calles viejas enlutadas; suena una campana con largas vibraciones.

—¿Está muy lejos de aquí la fonda? —pregunto yo.

—Ésa es —me dicen señalando una casa.

La casa es vetusta; tiene un escudo; tiene de piedra las jambas y el dintel de la puerta; tiene rejas pequeñas; tiene un zaguán hondo, empedrado con menuditos cantos. Y cuando se pasa por la puerta del fondo se entra en un patio, a cuyo alrededor corre una galería sostenida por dóricas columnas. El comedor se abre a la mano diestra. He subido sus escalones, he entrado en una estancia oscura.

—¿Quién es? —ha preguntado una voz desde el fondo de las tinieblas.

—Yo soy —he dicho con voz recia. Y después inmediatamente—: un viajero.

He oído en el silencio un reloj que marchaba: "tic-tac, tic-tac"; luego se ha hecho un ligero ruido como de ropas movidas, y al final una voz ha gritado:

—¡Sacramento! ¡Tránsito! ¡María Jesús!

Y luego ha añadido:

—Siéntese usted.

¿Dónde iba yo a sentarme? ¿Quién me hablaba? ¿En qué encantada mansión me hallaba yo?

He preguntado tímidamente:

—¿No hay luz?

La voz misteriosa ha contestado:

—No; ahora la echan muy tarde.

Pero una moza ha venido con una vela en la mano. ¿Es Sacramento? ¿Es Tránsito? ¿Es María Jesús? Yo he visto que los resplandores de la luz —como en una figura de Rembrandt— iluminaban vivamente una carita ovalada, con una barbilla suave, fina, con unos ojos rasgados y unos labios menudos.

—Este señor —dice una anciana sentada en un ángulo— quiere una habitación; llévele a la de dentro.

La de dentro está bien adentro; atravesamos el patizuelo; penetramos por una puerta enigmática; torcemos a la derecha, torcemos a la izquierda; recorremos un pasillito angosto; subimos por unos escalones; bajamos por otros. Y al fin ponemos nuestras plantas en una estancia pequeñita, con una cama. Y después en otro cuartito angosto, con el techo que puede tocarse con las manos, con una puerta vidriera, colocada en un muro de un metro de espesor y una ventana diminuta abierta en otro paredón del mismo ancho.

—Éste es el cuarto —dice la moza poniendo la palmatoria sobre la mesa.

Y yo le digo:

—¿Se llama usted Sacramento?

Ella se ruboriza un poco:

—No —contesta—, soy Tránsito.

Yo debía haber añadido:

—¡Qué bonita es usted, Tránsito!

Pero no lo he dicho, sino que he abierto el *Quijote*

y me he puesto a leer en sus páginas. "En esto —leía yo a la luz de la vela— descubrieron treinta o cuarenta molinos de viento que hay en aquel campo..." La luz se ha ido acabando; llamo a gritos. Tránsito viene con una nueva vela, y dice:

—Señor: cuando usted quiera, a cenar.

Cuando he cenado he salido un rato por las calles; una luna suave bañaba las fachadas blancas y ponía sombras dentelleadas de los aleros en medio del arroyo; destacaban confusos, misteriosos, los anchos balcones viejos, los escudos, las rejas coronadas de ramajes y filigranas, las recias puertas con clavos y llamadores formidables. Hay un placer íntimo, profundo, en ir recorriendo un pueblo desconocido entre las sombras; las puertas, los balcones, los esquinazos, los ábsides de las iglesias, las torres, las ventanas iluminadas, los ruidos de los pasos lejanos, los ladridos plañideros de los perros, las lamparillas de los retablos..., todo nos va sugestionando poco a poco, enervándonos, desatando nuestra fantasía, haciéndonos correr por las regiones del ensueño...

Los molinos de Criptana andan y andan.

—Sacramento, ¿qué es lo que he de hacer hoy?

Yo he preguntado esto a Sacramento cuando he acabado de tomar el desayuno; Sacramento es tan bonita como Tránsito. Ya ha pasado la noche. ¿No será menester ir a ver los molinos de viento? Yo recorro las calles. De la noche al día va una gran diferencia. ¿Dónde está el misterio, el encanto, la sugestión de la noche pasada? Subo con don Jacinto por callejuelas empinadas, torcidas; en lo alto, dominando el pueblo, asentado sobre la loma, los molinos surgen vetustos; abajo, la extensión gris, negruzca, de los tejados, se aleja, entreverada con las manchas blancas de las fachadas, hasta tocar en el mar bermejo de la llanura.

Y ante la puerta de uno de esos molinos nos hemos detenido.

—Javier —le ha dicho don Jacinto al molinero—. ¿Va a marchar esto pronto?

—Al instante —ha contestado Javier.

¿Os extrañará que don Alonso Quijano, *el Bueno*, tomara por gigantes los molinos? Los molinos de viento eran, precisamente cuando vivía Don Quijote, una novedad estupenda; se implantaron en la Mancha en 1575 —dice Richard Ford en su *Handbook for traveller in Spain*—. "No puedo yo pasar en silencio —escribía Jerónimo Cardano en su libro *De rerum varietate*, en 1580, hablando de estos molinos—, no puedo yo pasar en silencio que esto es tan maravilloso, que yo antes de verlo no lo hubiera podido creer sin ser tachado de hombre cándido." ¿Cómo extrañar que la fantasía del buen manchego se exaltara ante estas máquinas inauditas, maravillosas?

Pero Javier ha trepado ya por los travesaños de las aspas de su molino y ha ido extendiendo las velas; sopla un viento furioso, desatado; las cuatro velas han quedado tendidas. Ya marchan lentamente las aspas, ya marchan rápidas. Dentro, la torrecilla consta de tres reducidos pisos: en el bajo se hallan los sacos de trigo, en el principal es donde cae la harina por una canal ancha; en el último es donde rueda la piedra sobre la piedra y se deshace el grano. Y hay aquí en este piso unas ventanitas minúsculas, por las que se atalaya el paisaje. El vetusto aparato marcha con un sordo rumor. Yo columbro por una de estas ventanas la llanura inmensa, infinita, roja, a trechos verdeante; los caminos se pierden amarillentos en culebreos largos; refulgen paredes blancas en la lejanía; el cielo se ha cubierto de nubes grises; ruge el huracán. Y por una senda que cruza la ladera avanza un hormigueo de mujeres enlutadas, con las faldas a la cabeza, que han salido esta madrugada —como viernes de cuaresma— a besarle los pies al Cristo de Villajos, en un distante santuario, y que tornan ahora, lentas, negras, pensativas, entristecidas, a través de la llanura yerma roja...

—María Jesús —digo yo cuando llega el crepúsculo—, ¿tardará mucho en venir la luz?

—Aún tardará un momento —dice ella.

Yo me siento en la estancia entenebrecida; oigo el "tic-tac" del reloj; unas campanas tocan el Ángelus.

Los molinos de Criptana andan y andan.

XII
LOS SANCHOS DE CRIPTANA

¿Cómo se llaman estos, estos queridos, estos afables, estos discretísimos amigos de Criptana? ¿No son don Pedro, don Victoriano, don Bernardo, don Antonio, don Jerónimo, don Francisco, don León, don Luis, don Domingo, don Santiago, don Felipe, don Ángel, don Enrique, don Miguel, don Gregorio y don José? A las cuatro de la madrugada, entre sueños suaves, yo he oído un vago rumor, algo como el eco lejano de un huracán, como la caída de un formidable salto de agua. Yo me despierto sobresaltado; suenan roncas bocinas, golpazos en las puertas, pasos precipitados. ¿Qué es esto? ¿Qué sucede?, me pregunto aterrorizado. El estrépito crece; me visto a tientas, confuso, espantado. Y suenan en la puerta unos recios porrazos. Y una voz grita:

—¡Señor Azorín! ¡Señor Azorín!

Entonces yo abro la puerta; a la luz de candiles, velas, hachones, distingo un numeroso tropel de hidalgos que grita, ríe, salta, gesticula y toca unas enormes caracolas que atruenan con estentóreos alaridos la casa toda.

—¡Señores! —exclamo yo cada vez más perplejo, más atemorizado.

Y uno de estos afectuosos, de estos discretos señores, se adelanta y va a hablar; de pronto todos callan; se hace un silencio profundo.

—Señor Azorín —dice este hidalgo—; nosotros somos los Sanchos Panzas de Criptana; nosotros venimos a incautarnos de su persona.

Yo continúo sin saber qué pensar. ¿Qué significa esto de que estos excelentes señores son los Sanchos Panzas de Criptana? ¿Dónde quieren llevarme? Mas pronto se aclara este misterio tremebundo; en Criptana no hay Don Quijotes; Argamasilla se enorgullece por ser la patria del Caballero de la Triste Figura; Criptana quiere representar y compendiar el espíritu práctico, bondadoso y agudo del sin par Sancho Panza. El señor que acaba de hablar es don Bernardo; los otros son don Pedro, don Victoriano, don Antonio, don Jerónimo, don Francisco, don León, don Luis, don Domingo, don Santiago, don Felipe, don Ángel, don Enrique, don Miguel, don Gregorio y don José.

—Nosotros somos los Sanchos de Criptana —repite don Bernardo.

—Sí —dice don Victoriano—; en los demás pueblos de la Mancha que se crean Quijotes si les place; aquí nos sentimos todos compañeros y hermanos espirituales de Sancho Panza.

—Ya verá usted apenas lleve viviendo aquí dos o tres días —añade don León— cómo esto se distingue de todo.

—Y para que usted lo compruebe más pronto —concluye don Miguel—, nosotros hemos decidido secuestrarle a usted desde este instante.

—Señores —exclamo yo deseando hacer un breve discurso; mas mis dotes oratorias son bien escasas. Y yo me contento con estrechar en silencio las manos de don Bernardo, don Pedro, don Victoriano, don Antonio, don Jerónimo, don Francisco, don León, don Luis, don Domingo, don Santiago, don Felipe, don Ángel, don Enrique, don Miguel, don Gregorio y don José y nos ponemos en marcha todos; las caracolas tornan a sonar; retumban los pasos sonoros sobre el empedrado del patizuelo. Ya va quebrando el alba. En la calle hay una larga ringlera de tartanas, galeras, carros, asnos cargados con hacecillos de hornija, con sartenes y cuernos enormes llenos de aceite. Y en este punto, al subir a los carruajes, con la algazara, con el ir y venir precipitado, comienza a romperse la frialdad, la rigidez, el matiz de compostura y de ceremonia de los primeros momentos. Yo ya soy un antiguo Sancho Panza de esta noble Criptana. Yo voy metido en una galera entre don Bernardo y don León.

—¿Qué le parece a usted, señor Azorín, de todo esto? —me dice don Bernardo.

—Me parece perfectamente, don Bernardo —le digo yo.

Ya conocéis a don Bernardo; tiene una barba gris, blanca, amarillenta; lleva unas gafas grandes, y de la cadena de su reloj pende un diminuto diapasón de acero. Este diapasón quiere decir que don Bernardo es músico; añadiré —aunque lo sepáis— que don Bernardo es también farmacéutico. A la hora de caminar esta galera, por un camino hondo, ya don Bernardo me ha hecho una interesante revelación.

—Señor Azorín —me dice—, yo he compuesto un himno a Cervantes para que sea cantado en el Centenario.

—Perfectamente, don Bernardo —contesto yo.

—¿Quiere usted oírlo, señor Azorín? —torna él a decirme.

—Con mucho gusto, don Bernardo —vuelvo yo a contestarle.

Y don Bernardo tose un poco, vuelve a toser y comienza a cantar en voz baja, mientras el coche da unos zarandeos terribles:

Gloria, gloria, cantad a Cervantes
creador del *Quijote* inmortal...

La luz clara del día ilumina la dilatada y llana campiña; se columbra el horizonte limpio, sin árboles; una pincelada de azul intenso cierra la lejanía.

La galera camina y camina por el angosto caminejo. ¿Cuánto tiempo ha pasado desde nuestra salida? ¿Cuánto tiempo ha de transcurrir aún? ¿Dos, tres, cuatro, cinco horas? Yo no lo sé; la idea de tiempo, en mis andanzas por la Mancha, ha desaparecido de mi cerebro.

—Señor Azorín —me dice don León—, ya vamos a llegar; falta una legua.

Y pasa un breve minuto en silencio. Don Bernardo inclina la cabeza hacia mí y susurra en voz queda:

—Este himno lo he compuesto para que se cante en el Centenario del *Quijote*. ¿Ha reparado usted en la letra? Señor Azorín, ¿no podría usted decir de él dos palabras?

—¡Hombre, don Bernardo! —exclamo yo—. No necesita usted hacerme esta recomendación; para mí es un deber de patriotismo el hablar de ese himno.

—Muy bien, muy bien, señor Azorín —contesta don Bernardo, satisfecho.

¿Pasa media hora, una hora, dos horas, tres horas? El coche da tumbos y retumbos; la llanura es la misma llanura gris, amarillenta, rojiza.

—Ya vamos a llegar —repite don León.

—Ahora, cuando lleguemos —añade don Bernardo—, tocaremos el himno en el armónium de la ermita...

—Ya vamos a llegar —torna a repetir don León.

Y transcurre una hora, acaso hora y media, tal vez dos horas. Yo os torno a asegurar que ya no tengo, ante estos llanos, ni la más remota idea de tiempo. Pero, al fin, allá sobre un montículo pelado, se divisa una casa. Esto es el Cristo de Villajos. Ya nos acercamos. Ya echamos pie a tierra. Ya damos paraditas en tierra para desentumecernos. Ya don Bernardo —este hombre terrible y amable— nos lleva a todos a la ermita, abre el armónium, arranca de él unos arpegios plañideros y comienza a gritar:

Gloria, gloria, cantad a Cervantes
creador del *Quijote* inmortal...

Yo tengo la absurda y loca idea de que todos los himnos se parecen un poco, es decir, de que todos son lo mismo en el fondo. Pero este himno de don Bernardo no carece de cierta originalidad; así se lo confieso yo a don Bernardo.

—¡Ah, ya lo creo, señor Azorín, ya lo creo! —dice él, levantándose del armónium rápidamente.

Y luego, tendiéndome la mano, añade:

—Usted, señor Azorín, es mi mejor amigo.

Y yo pienso en lo más íntimo de mi ser: "Pero este don Bernardo, tan cariñoso, tan bueno, ¿será realmente un Sancho Panza, como él asegura a cada momento?; tendrá más bien algo del espíritu de don Quijote". Mas por lo pronto dejo sin resolver este problema; es preciso salir al campo, pasear, correr, tomar el sol, atalayar el paisaje —ya cien veces atalayado— desde lo alto de los repechos; y en estas gratas ocupaciones nos llega la hora del mediodía. ¿Os contaré punto por punto este sabroso, sólido, suculento y sanchopancesco yantar? Una bota magnífica —que el buen escudero hubiera codiciado— corría de mano en mano, dejando caer en los gaznates sutil néctar manchego; los ojos se iluminan; las lenguas se desatan. Estamos ya en los postres: ésta es precisamente la hora de las confidencias. Don Bernardo ladea su cabeza hacia mí; va a decirme, sin duda, algo importante. No sé por qué, tengo un vago barrunto de lo que don Bernardo va a decirme; pero yo estoy dispuesto siempre a oír con gusto lo que tenga a bien decirme don Bernardo.

—Señor Azorín —me dice don Bernardo—, ¿cree usted que este himno puede tener algún éxito?

—¡Qué duda cabe, don Bernardo! —exclamo yo con una convicción honda—. Este himno ha de tener un éxito seguro.

—¿Usted lo ha oído bien? —torna a preguntarme don Bernardo.

—Sí, señor —digo yo—; lo he oído perfectamente.

—No, no —dice él con aire de incredulidad—. No, no, señor Azorín; usted no lo ha oído bien. Ahora, cuando acabemos de comer, lo tocaremos otra vez.

Don Miguel, don Enrique, don León, don Gregorio y don José, que están cercanos a nosotros y que han oído estas palabras de don Bernardo, sonríen ligeramente. Yo tengo verdadera satisfacción en escuchar otra vez el himno de este excelente amigo.

Cuando acabamos de comer, de nuevo entramos en la ermita; don Bernardo se sienta ante el armónium y arranca de él unos arpegios; después vocea:

Gloria, gloria, cantad a Cervantes
creador del *Quijote* inmortal...

—¡Muy bien, muy bien! —exclamo yo.

—¡Bravo, bravo! —gritan todos a coro.

Y hemos vuelto a subir por los cerros, a tomar el sol, a contemplar el llano monótono mil veces contemplado. La tarde iba doblando; era la hora del regreso. Las caracolas han sonado; los coches se han puesto en movimiento; hemos tornado a recorrer el caminejo largo, interminable, sinuoso. ¿Cuántas horas han transcurrido? ¿Dos, tres, cuatro, seis, ocho, diez?

—¡Señores! —he exclamado yo en Criptana, a la puerta de la fonda, ante el tropel de los nobles hidalgos. Pero mis dotes oratorias son bien escasas, y yo me he contentado con estrechar efusivamente, con verdadera cordialidad, por última vez, las manos de estos buenos, de estos afables, de estos discretísimos amigos don Bernardo, don Pedro, don Victoriano, don Antonio, don Jerónimo, don Francisco, don León, don Luis, don Domingo, don Santiago, don Felipe, don Ángel, don Enrique, don Miguel, don Gregorio y don José.

El Toboso es un pueblo único, estupendo. Ya habéis salido de Criptana; la llanura ondula suavemente, roja, amarillenta, gris, en los trechos de eriazo, de verde imperceptible en las piezas sembradas. Andáis una hora, hora y media; no veis ni un árbol, ni una chacra, ni un rodal de verdura jugosa. Las urracas saltan un momento en medio del camino, mueven nerviosas y petulantes sus largas colas, vuelan de nuevo; montoncillos y montoncillos de piedras grises se extienden sobre los anchurosos bancales. Y de tarde en tarde, por un extenso espacio de sembradura, en que el alcacel apenas asoma, camina un par de mulas, y un gañán guía el arado a lo largo de los surcos interminables.

—¿Qué están haciendo aquí? —preguntáis un poco extrañados de que se destroce de esta suerte la siembra.

—Están rejacando —se os contesta naturalmente.

Rejacar vale tanto como meter el arado por el espacio abierto entre surco y surco con el fin de desarraigar las hierbezuelas.

—Pero, ¿no estropean la siembra? —tornáis a preguntar—. ¿No patean y estrujan con sus pies los aradores y las mulas los tallos tie̶r̶n̶o̶s̶?

de

—¡Ca! —exclama este labriego—. ¡La siembra en este tiempo contra más se pise es mejor!

Los terrenos grisáceos, rojizos, amarillentos, se descubren, iguales todos, con una monotonía desesperante. Hace una hora que habéis salido de Criptana; ahora, por primera vez, al doblar una loma distinguís en la lejanía remotísima, allá en los confines del horizonte, una torre diminuta y una mancha negruzca, apenas visible en la uniformidad plomiza del paisaje. Esto es el pueblo del Toboso. Todavía han de transcurrir un par de horas antes de que penetremos en sus calles. El panorama no varía; veis los mismos barbechos, los mismos liegos hoscos, los mismos alcaceles tenues. Acaso en una distante ladera alcanzáis a descubrir un cuadro de olivos, cenicientos, solitarios, simétricos. Y no tornáis a ver ya en toda la campiña infinita ni un rastro de arboledas. Las encinas que estaban propincuas al Toboso y entre las que Don Quijote aguardaba el regreso de Sancho, han desaparecido. El carro camina dando tumbos, levantándose en los pedruscos, cayendo en los hondos baches. Ya estamos cerca del poblado. Ya podéis ver la torre cuadrada, recia, amarillenta, de la iglesia, y las techumbres negras de las casas. Un silencio profundo reina en el llano; comienzan a aparecer a los lados del camino paredones derruidos. En lo hondo, a la derecha, se distingue una ermita ruinosa, negra, entre árboles escuálidos, negros, que salen por encima de largos tapiales caídos. Sentís que una intensa sensación de soledad y de abandono os va sobrecogiendo. Hay algo en las proximidades de este ido aumentando; veis una ancha extensión de campo llano cubierta de piedras grises, de muros rotos, de vestigios de cimientos. El silencio es profundo; no descubrís ni un ser viviente; el reposo parece que se ha solidificado. Y en el fondo, más allá de todas estas ruinas, destacando sobre un cielo ceniciento, lívido, tenebroso, hosco, trágico, se divisa un montón de casuchas pardas, terrosas, negras, con paredes agrietadas, con esquinazos desmoronados, con techos hundidos, con chimeneas desplomadas, con solanas que se bombean y doblan para caer, con tapiales de patios anchamente desportillados...

Y no percibís ni el más leve rumor: ni el retumbar de un carro, ni el ladrido de un perro, ni el cacareo lejano y metálico de un gallo. Y veis los mismos muros agrietados, ruinosos; la sensación de abandono y de muerte que antes os sobrecogiera, acentúase ahora por modo doloroso a medida que vais recorriendo estas calles y aspirando este ambiente.

Casas grandes, anchas, nobles, se han derrumbado y han sido cubiertos los restos de sus paredes con bajos y pardos tejadillos; aparecen vetustas y redondas portaladas rellenas de toscas piedras; destaca acá y allá, entre las paredillas terrosas, un pedazo de recio y venerable muro de sillería; una fachada con su escudo macizo perdura, entre casillas bajas, entre un montón de escombros... Y vais marchando lentamente por las callejas; nadie pasa por ellas; nada rompe el silencio. Llegáis de este modo a la plaza. La plaza es un anchuroso espacio solitario; a una banda destaca la iglesia, fuerte, inconmovible, sobre las ruinas del poblado; a su izquierda se ven los muros en pedazos de un caserón solariego; a la derecha aparecen una ermita agrietada, caduca, y un largo tapial desportillado. Ha ido cayendo la tarde. Os detenéis un momento en la plaza. En el cielo plomizo se ha abierto una ancha grieta; surgen por ella las claridades del crepúsculo. Y durante este minuto que permanecéis inmóviles, absortos, contempláis las ruinas de este pueblo vetusto, muerto, iluminadas por un resplandor rojizo, siniestro. Y divisáis —y esto acaba de completar vuestra impresión—, divisáis, rodeados de este profundo silencio, sobre el muro ruinoso adosado a la ermita, la cima aguda de un ciprés negro, rígido, y ante su oscura mancha el ramaje fino, plateado, de un olivo silvestre, que ondula y se mece en silencio, con suavidad, a intervalos...

¿Cómo el pueblo del Toboso ha podido llegar a este grado de decadencia? —pensáis vosotros, mientras dejáis la plaza—. "El Toboso —os dicen— era antes una población caudalosa; ahora no es ya ni la sombra de lo que fue en aquellos tiempos. Las casas que se hunden no tornan a ser edificadas; los moradores emigran a los pueblos cercanos; las viejas familias de los hidalgos —enlazadas con uniones consanguíneas desde hace dos o tres generaciones— acaban ahora sin descendencia." Y vais recorriendo calles y calles. Y tornáis a ver muros ruinosos, puertas tapiadas, arcos despedazados. ¿Dónde estaba la casa de Dulcinea? ¿Era realmente Dulcinea esta Aldonza Zarco de Morales de que hablan los cronistas? En El Toboso abundan los apellidos Zarco; la casa de la sin par princesa se levanta en un extremo del poblado, tocando con el campo; aún perduran sus restos. Bajad por una callejuela que se abre en un rincón de la plaza desierta; reparad en unos murallones desnudados de sillería que se alzan en el fondo; torced después a la derecha, caminad luego cuatro o seis pasos; deteneos al fin. Os encontraréis ante un ancho edificio, viejo, agrietado; antaño esta casa debió de constar de dos pisos; mas toda la parte superior se vino a tierra, y hoy, casi al ras de la puerta, se ha cubierto el viejo caserón con un tejadillo modesto, y los desniveles y rajaduras de los muros de noble piedra se han tabicado con paredes de barro.

Ésta es la mansión de la más admirable de todas las princesas manchegas. Al presente es una almazara prosaica. Y para colmo de humillación y vencimiento, en el patio, en un rincón, bajo gavillas de ramajes de olivo, destrozados, escarnecidos, reposan los dos magníficos blasones que antes figuraban en la fachada. Una larga tapia parte del caserón y se aleja hacia el campo cerrando la callejuela...

—"Sancho, hijo, guía al palacio de Dulcinea, que quizás podrá ser que la hallemos despierta" —decía a su escudero don Alonso, entrando en El Toboso a media noche.

—"¿A qué palacio tengo de guiar, cuerpo de sol —respondía Sancho—, que en el que yo vi a su grandeza no era sino casa muy pequeña?"

La casa de la supuesta Dulcinea, la señora doña Aldonza Zarco de Morales, era bien grande y señorial. Echemos sobre sus restos una última mirada; ya las sombras de la noche se allegan; las campanas de la alta y recia torre dejan caer sobre el poblado muerto sus vibraciones; en la calle del Diablo —la principal de la villa— cuatro o seis yuntas de mulas que regresan del campo arrastran sus arados con sordo rumor. Y es un espectáculo de una sugestión honda ver a estas horas, en este reposo inquebrantable, en este ambiente de abandono y de decadencia, cómo se desliza de tarde en tarde, entre las penumbras del crepúsculo, la figura lenta de un viejo hidalgo con su capa, sobre el fondo de una redonda puerta cegada, de un esquinazo de sillares tronchado, de un muro ruinoso por el que asoman los allozos en flor o los cipreses...

XIV
LOS MIGUELISTAS DEL TOBOSO

¿Por qué no he de daros la extraña, la inaudita noticia? En todas las partes del planeta el autor del *Quijote* es Miguel de Cervantes Saavedra; en El Toboso es sencillamente *Miguel*. Todos le tratan con suma cordialidad; todos se hacen la ilusión de que han conocido a la familia.

—Yo, señor Azorín —me dice don Silverio—, llego a creer que he conocido al padre de Miguel, al abuelo, a los hermanos y a los tíos.

¿Os imagináis a don Silverio? ¿Y a don Vicente? ¿Y a don Emilio? ¿Y a don Jesús? ¿Y a don Diego? Todos estamos en torno de una mesa cubierta de un mantel de damasco —con elegantes pliegues marcados—; hay sobre ella tazas de porcelana, finas tazas que os maravilla encontrar en el pueblo. Y doña Pilar —esta dama tan manchega, tan española, discretísima, afable— va sirviendo con suma cortesía el brebaje aromoso. Y don Silverio dice, cuando trascuela el primer sorbo, como excitado por la mixtura, como dentro ya del campo de las confesiones cordiales.

—Señor Azorín: que Miguel sea de Alcázar, está perfectamente; que Blas sea de Alcázar, también; yo tampoco lo tomo a mal; pero el abuelo ¡el abuelo de Miguel!, no le quepa a usted duda, señor Azorín, el abuelo de Miguel era de aquí...

Y los ojos de don Silverio llamean un instante. Os lo vuelvo a decir. ¿Os imagináis a don Silverio? Don Silverio es el tipo más clásico de hidalgo que he encontrado en tierras manchegas; existe una secreta afinidad, una honda correlación inevitable, entre la figura de don Silverio y los muros en ruinas del Toboso, las anchas puertas de medio punto cegadas, los tejadillos rotos, los largos tapiales desmoronados. Don Silverio tiene una cara pajiza, cetrina, olivácea, cárdena; la frente sobresale un poco; luego, al llegar a la boca, se marca un suave hundimiento, y la barbilla plana, aguda, vuelve a sobresalir y en ella se muestra una mosca gris, recia, que hace un perfecto juego con un bigote ceniciento, que cae descuidado, lacio, largo, por las comisuras de los labios. Y tiene don Silverio unos ojos de una expresión única, ojos que refulgen y lo dicen todo. Y tiene unas manos largas, huesudas, sarmentosas, que suben y bajan rápidamente en el aire, elocuentes, prontas, cuando las palabras surgen de la boca del viejo hidalgo, atropelladas, vivarachas, impetuosas, pintorescas. Yo siento una gran simpatía por don Silverio: lleva treinta y tres años adoctrinando niños en El Toboso. Él charla con vosotros cortés y amable. Y cuando ya ha ganado una poca de vuestra confianza, entonces el rancio caballero saca del bolsillo interior de su chaqueta un recio y grasiento manojo de papeles y os lee un alambicado soneto a Dulcinea. Y si la confianza es mucho mayor, entonces, os lee también, sonriendo con ironía, una sátira terriblemente antifrailesca, tal como Torres Naharro la deseara para su *Propaladia*. Y si la confianza logra aún más grados, entonces os lleva a que veáis una colmena que él posee, con una ventanita de cristal por la que pueden verse trabajar las abejas.

Todos estamos sentados en torno de una mesa; es esto como un círculo pintoresco y castizo de viejos rostros castellanos.

Don Diego tiene unos ojos hundidos, una frente

ancha y una barba cobriza; es meditativo; es soña-
dor; es silencioso; sonríe de tarde en tarde, sin decir
nada, con una vaga sonrisa de espiritualidad y de
comprensión honda. Don Vicente lleva —como pin-
tan a Garcilaso— la cabeza pelada al rape y una
barba tupida. Don Jesús es bajito, gordo y nervioso.
Y don Emilio tiene una faz huesuda, angulosa, un
bigotillo imperceptible y una barbita que remata en
una punta aguda.

—Señor Azorín, quédese usted, yo se lo ruego; yo
quiero que usted se convenza; yo quiero que lleve
buenas impresiones del Toboso —dice vivamente
don Silverio, gesticulando, moviendo en el aire sus
manos secas, en tanto que sus ojos llamean.

—Señor Azorín —repite don Silverio—; Miguel
no era de aquí; Blas, tampoco. Pero, ¿cómo dudar
de que el abuelo lo era?

—No lo dude usted —añade doña Pilar sonriendo
afablemente—; don Silverio tiene razón.

—Sí, sí —dice don Silverio—; yo he visto el árbol
de la familia. ¡Yo he visto el árbol, señor Azorín!
¿Y sabe usted de dónde arranca el árbol?

Yo no sé en verdad de dónde arranca el árbol de
la familia de Cervantes.

—Yo no lo sé, don Silverio —confieso yo un poco
confuso.

—El árbol —proclama don Silverio— arranca de
Madridejos. Además, señor Azorín, en todos los pueblos estos inmediatos hay Cervantes; los tiene usted,
o los ha tenido, en Argamasilla, en Alcázar, en Criptana, en El Toboso. ¿Cómo vamos a dudar que Miguel era de Alcázar? ¿Y no están diciendo que era
manchego todos los nombres de lugares y tierras
que él cita en el *Quijote* y que no es posible conocer
sin haber vivido aquí largo tiempo, sin ser de aquí?

—¡Sí, Miguel era manchego! —añade don Vicente, pasando la mano por su barba.

—Sí, era manchego —dice don Jesús.

—Era manchego —añade don Emilio.

—¡Ya lo creo que lo era! —exclama don Diego, levantando la cabeza y saliendo de sus remotas ensoñaciones.

Y don Silverio agrega, dando una recia voz.

—¡Pero váyales usted con esto a los académicos!

Y ya la gran palabra ha sido pronunciada. ¡Los académicos! ¿Habéis oído? ¿Os percatáis de toda la trascendencia de esta frase? En toda la Mancha, en todos los lugares, pueblos, aldeas que he recorrido, he escuchado esta frase, dicha siempre con una intencionada entonación. Los académicos, hace años, no sé cuándo, decidieron que Cervantes fuese de Alcalá y no de Alcázar; desde entonces, poco a poco, entre los viejos hidalgos manchegos ha ido formándose un enojo, una ojeriza, una ira contra los académicos. Y hoy en Argamasilla, en Alcázar, en El Toboso, en Criptana, se siente un odio terrible, formidable, contra los académicos. Y los académicos no se sabe a punto fijo lo que son; los académicos son, para los hombres, para las mujeres, para los niños, para todos, algo como un poder oculto, poderoso y tremendo; algo como una espantable deidad maligna, que ha hecho caer sobre la Mancha la más grande de todas las desdichas, puesto que ha decidido con sus fallos inapelables y enormes que Miguel de Cervantes Saavedra no ha nacido en Alcázar.

—Los académicos —dice don Emilio con profunda desesperanza— no volverán de su acuerdo por no verse obligados a confesar su error.

—Los académicos lo han dicho —añade don Vicente con ironía—, y ésa es la verdad infalible.

—¡Cómo vamos a rebatir nosotros —agrega don Jesús— lo que han dicho los académicos!

Y don Diego, apoyado el codo sobre la mesa, levanta la cabeza, pensativa, soñadora, y murmura en voz leve:

—¡Psh, los académicos!

Y don Silverio, de pronto, da una gran voz, en tanto que hace chocar con energía sus manos huesudas, y dice:

—¡Pero no será lo que dicen los académicos, señor Azorín! ¡No será! Miguel era de Alcázar, aunque diga lo contrario todo el mundo. Blas también era de allí, y el abuelo era de El Toboso.

Y luego:

—Aquí, en casa de don Cayetano, hay una porción de documentos de aquella época; yo los estoy examinando ahora, y yo puedo asegurarle a usted que no sólo el abuelo, sino también algunos tíos de Miguel, nacieron y vivieron en El Toboso.

¿Qué voy a oponer yo a lo que me dice don Silverio? ¿Habrá alguien que encuentre inconveniente alguno en creer que el abuelo de Cervantes era del pueblo de El Toboso?

—Y no es esto sólo —prosigue el buen hidalgo—; en El Toboso existe una tradición no interrumpida de que en el pueblo han vivido parientes de Miguel; aún hay aquí una casa a la que todos llamamos *la casa de Cervantes*. Y don Antonio Cano, convecino nuestro, ¿no se llama de segundo apellido Cervantes?

Don Silverio se ha detenido un breve momento; todos estábamos pendientes de sus palabras. Después ha dicho:

—Señor Azorín, puede usted creerme; estos ojos que usted ve han visto el propio escudo de la familia de Miguel.

Yo he mostrado una ligera sorpresa.

—¡Cómo! —he exclamado—. Usted, don Silverio, ¿ha visto el escudo?

Y don Silverio, con energía, con énfasis:

—¡Sí, sí; yo lo he visto! En el escudo figuraban dos ciervas; la divisa decía de este modo:

> Das ciervas en campo verde,
> la una pace, la otra duerme;
> la que pace, paz augura;
> la que duerme, la asegura.

Y don Silverio, que ha dicho estos versos con una voz solemne y recia, ha permanecido un momento en silencio, con la mano diestra en el aire, contemplándome de hito en hito, paseando luego su mirada triunfal sobre los demás concurrentes.

Yo tengo un gran afecto por don Silverio; este afecto se extiende a don Vicente, a don Diego —el ensoñador caballero—, a don Jesús, a don Emilio —el de la barba aguda y la color cetrina—. Cuando nos hemos separado era media noche por filo; no ladraban los perros, no gruñían los cerdos, no rebuznaban los jumentos, no mayaban los gatos, como en la noche memorable en que Don Quijote y Sancho entraron en El Toboso; reinaba un silencio profundo; una luna suave, amorosa, bañaba las callejas, llenaba las grietas de los muros ruinosos, besaba el ciprés y el olivo silvestre que crecen en la plaza...

XV
LA EXALTACIÓN ESPAÑOLA

Quiero echar la llave, en la capital geográfica de la Mancha, a mis correrías. ¿Habrá otro pueblo, aparte de éste, más castizo, más manchego, más típico, donde más íntimamente se comprenda y se sienta la alucinación de estas campiñas rasas, el vivir doloroso y resignado de estos buenos labriegos, la monotonía y la desesperación de las horas que pasan y pasan lentas, eternas, en un ambiente de tristeza, de soledad y de inacción? Las calles son anchas, espaciosas, desmesuradas; las casas son bajas, de un color grisáceo, terroso, cárdeno; mientras escribo estas líneas, el cielo está anubarrado, plomizo; sopla, ruge, brama un vendaval furioso, helado; por las anchas vías desiertas vuelan impetuosas polvaredas; oigo que unas campanas tocan con toques desgarrados, plañideros, a lo lejos; apenas si de tarde en tarde transcurre por las calles un labriego enfundado en su traje pardo, o una mujer vestida de negro, con las ropas a la cabeza, asomando entre los pliegues su cara lívida; los chapiteles plomizos y los muros rojos de una iglesia vetusta cierran el fondo de una plaza ancha, desierta... Y marcháis, marcháis, contra el viento, azotados por las nubes de polvo, por la ancha vía interminable, hasta llegar a un casino anchuroso. Entonces, si es por la mañana, penetráis en unos salones solitarios, con piso de madera, en que vuestros pasos retumban. No encontráis a nadie; tocáis y volvéis a tocar en vano todos los timbres; las estufas reposan apagadas; el frío va ganando vuestros miembros. Y entonces volvéis a salir; volvéis a caminar por la inmensa vía desierta, azotado por el viento, cegado por el polvo; volvéis a entrar en la fonda —donde tampoco hay lumbre—; tornáis a entrar en vuestro cuarto, os sentáis, os entristecéis, sentís sobre vuestros cráneos, pesando formidables, todo el tedio, toda la soledad, todo el silencio, toda la angustia de la campiña y del poblado.

Decidme, ¿no comprendéis en estas tierras los ensueños, los desvaríos, las imaginaciones desatadas del grande loco? La fantasía se echa a volar frenética por estos llanos; surgen en los cerebros visiones, quimeras, fantasías torturadoras y locas. En Manzanares —a cinco leguas de Argamasilla— se cuentan mil casos de sortilegios, de encantamientos, de filtros, bebedizos y manjares dañosos que novias abandonadas, despechadas, han hecho tragar a sus amantes; en Ruidera —cerca también de Argamasilla— hace seis días ha muerto un mozo que dos meses atrás, en plena robustez, viera en el alinde de un espejo una figura mostrándole una guadaña, y que desde ese día fue adoleciendo y ahilándose poco a poco hasta morir. Pero éstos son casos individuales, aislados, y es en el propio Argamasilla, la patria de Don Quijote, donde la alucinación toma un carácter colectivo, épico, popular. Yo quiero contaros este caso; apenas si hace seis meses que ha ocurrido. Un día, en una casa del pueblo, la criada sale dando voces de una sala y diciendo que hay fuego; todos acuden; las llamas son apagadas; el hecho, en realidad, carece de importancia. Mas dos días han transcurrido; la criada comienza a manifestar que ante sus ojos, de noche, aparece la figura de un viejo. La noticia, al principio, hace sonreír; poco tiempo después estalla otro fuego en la casa. Tampoco este accidente tiene importancia; mas tal vez despierta unas vagas sospechas. Y al otro día otro fuego, el tercero, surge en la casa. ¿Cómo puede ser esto? ¿Qué misterio puede haber en tan repetidos siniestros? Ya el interés y la curiosidad están despiertos. Ya el recelo sucede a la indiferencia. Ya el temor va apuntando en los ánimos. La criada jura que los fuegos los prende este anciano que a ella se le aparece; los moradores de la casa andan atónitos, espantados; los vecinos se ponen sobre aviso; por todo el pueblo comienza a esparcirse la extraña nueva. Y otra vez el fuego torna a surgir. Y en este punto todos, sobrecogidos, perplejos, gritan que lo que pide esta sombra incendiaria son unas misas; el cura, consultado, aprueba la resolución; las misas se celebran; las llamas no tornan a surgir, y el pueblo, satisfecho, tranquilo, puede ya respirar libre de pesadillas...

Pero bien poco es lo que dura esta tranquilidad. Cuatro o seis días después, mientras los vecinos pasean, mientras toman el sol, mientras las mujeres cosen sentadas en las cocinas, las campanas comienzan a tocar a rebato. ¿Qué es esto? ¿Qué sucede? ¿Dónde es el fuego? Los vecinos saltan de sus asientos, despiertan de su estupor súbitamente, corren, gritan. El fuego es en la escuela del pueblo; no es tampoco —como los anteriores— gran cosa; mas ya los moradores de Argamasilla, recelosos, excitados, tornan a pensar en el encantador malandrín de los anteriores desastres. La escuela se halla frontera a la casa donde ocurrieron las pasadas quemas; el encantador no ha hecho sino dar un gran salto y cambiar de vivienda. Y el fuego es apagado; los vecinos se retiran satisfechos a casa. La paz es, sin embargo, efímera; al día siguiente las campanas vuelven a tocar a rebato; los vecinos tornan a salir escapados; se grita; se hacen mil cábalas; los nervios saltan; los cerebros se llenan de quimeras. Y durante cuatro, seis, ocho, diez días, por mañana, por tarde, la alarma se repite y la población toda, conmovida, exasperada, enervada, frenética, corre, gesticula, vocea, se agita pensando en trasgos, en encantamientos, en poderes ocultos y terribles. ¿Qué hacer en este trance? "¡Basta, basta! —grita al fin el alcalde—. ¡Que no toquen más las campanas aunque arda el pueblo entero!" Y estas palabras son como una fórmula cabalística que deshace el encanto; las campanas no vuelven a sonar; las llamas no tornan a surgir.

¿Qué me decís de esta exaltada fantasía manchega? El pueblo duerme en reposo denso; nadie hace nada; las tierras son apenas rasgadas por el arado celta; los huertos están abandonados; el Tomelloso, sin agua, sin más riegos que el caudal de los pozos, abastece de verduras a Argamasilla, donde el Guadiana, sosegado a flor de tierra, cruza el pueblo y atraviesa las huertas; los jornaleros de este pueblo ganan dos reales menos que los de los pueblos cercanos. Perdonadme, buenos y nobles amigos míos de Argamasilla: vosotros mismos me habéis dado estos datos. El tiempo transcurre lento en este marasmo; las inteligencias dormitan. Y un día, de pronto, una vieja habla de apariciones, un chusco simula unos incendios, y todas las fantasías, hasta allí en el reposo, vibran enloquecidas y se lanzan hacia el ensueño. ¿No es ésta la patria del gran ensoñador don Alonso Quijano? ¿No está en este pueblo compendiada la historia eterna de la tierra española? ¿No es esto la fantasía loca, irrazonada e impetuosa que rompe de pronto la inacción para caer otra vez estérilmente en el marasmo?

Y ésta es —y con esto termino— la exaltación loca y baldía que Cervantes condenó en el *Quijote*; no aquel amor al ideal, no aquella ilusión, no aquella ingenuidad, no aquella audacia, no aquella confianza en nosotros mismos, no aquella vena ensoñadora, que tanto admira el pueblo inglés en nuestro Hidalgo, que tan indispensables son para la realización de todas las grandes y generosas empresas humanas, y sin las cuales los pueblos y los individuos fatalmente van a la decadencia...

Pequeña guía
para los
extranjeros que nos visiten
con motivo
del centenario.

THE TIME THEY LOSE IN SPAIN

El doctor Dekker se encuentra entre nosotros; el doctor Dekker es, ante todo, F. R. C. S.; es decir, *Fellow of the Royal College of Surgeons*; después, el doctor Dekker es filólogo, filósofo, geógrafo, psicólogo, botánico, numismático, arqueólogo. Una sencilla carta del doctor Pablo Smith, conocido de la juventud literaria española —por haber amigado años atrás con ella—, me ha puesto en relaciones con el ilustre miembro del Real Colegio de Cirujanos de Londres. El doctor Dekker no habita en ningún célebre hotel de la capital; ni el señor Capdevielle, ni el señor Baena, ni el señor Ibarra tienen el honor de llevarle apuntado en su libros. ¿Podría escribir el doctor Dekker su magna obra si viviera en el Hotel de la Paz, o en el de París, o en el Inglés? No; el doctor Dekker tiene su asiento en una modestísima casa particular de nuestra clase media; en la mesa del comedor hay un mantel de hule —un poco blanco—, la sillería del recibimiento muestra manchas grasientas en su respaldo. *The best in the world!*, ha exclamado con entusiasmo el doctor Dekker al contemplar este espectáculo, puesto el pensamiento en el país de España, que es *el mejor del mundo.*

Y en seguida el doctor Dekker ha sacado su lápiz. Con este lápiz, caminando avizor de una parte a otra, como un *rifle-man* con su escopeta, el doctor Dekker ha comenzado ya a amontonar los materiales de su libro terrible. ¿Y qué libro es éste? Ya lo he dicho: *The time they lose in Spain*. El ilustre doctor me ha explicado en dos palabras el plan, método y concepto de la materia; yo lo he entendido al punto. El doctor Dekker está encantado de España; el doctor Dekker delira por Madrid. *The best in the world!*, grita a cada momento entusiasmado.

¿Y por qué se entusiasma de este modo el respetable doctor Dekker? "¡Ah! —dice él—, España es el país donde se espera más". Por la mañana, el doctor Dekker se levanta y se dirige confiado a su lavabo; sin embargo, el ilustre miembro del Real Colegio de Cirujanos de Londres sufre un ligero desencanto: en el lavabo no hay ni una gota de agua. El doctor Dekker llama a la criada; la criada ha salido precisamente en este instante; sin embargo, va a servirle la dueña de la casa; pero la dueña de la casa se está peinando en este momento, y hay que esperar de todos modos siete minutos. El doctor Dekker saca su pequeño cuaderno y lápiz, y escribe: *Siete minutos*. ¿Saben en esta casa cuándo ha de desayunarse un extranjero? Seguramente que un extranjero no se desayuna a la misma hora que un indígena; cuando el doctor Dekker demanda el chocolate, le advierten que es preciso confeccionarlo. Otra pequeña observación: en España todas las cosas hay que hacerlas cuando deben estar hechas. El ilustre doctor torna a esperar quince minutos, y escribe en su diminuto cuaderno: *Quince minutos*.

El ilustre doctor sale de casa.

Claro está que todos los tranvías no pasan cuando nuestra voluntad quiere que pasen: hay un destino secreto e inexorable que lleva las cosas y los tranvías en formas y direcciones que nosotros no comprendemos. Pero el doctor Dekker es filósofo y sabe que cuando queremos ir a la derecha pasan siete tranvías en dirección a la izquierda, y que cuando es nuestro ánimo dirigirnos por la izquierda, los siete tranvías que corren van hacia la derecha. Pero esta filosofía del doctor Dekker no es óbice para que él saque un pequeño cuaderno y escriba: *Dieciocho minutos.*

¿Qué extranjero será tan afortunado que no tenga algo que dirimir en nuestras oficinas, ministerios o centros políticos? El doctor Dekker se dirige a un ministerio: los empleados de los ministerios —ya es tradicional, leed a Larra— no saben nunca nada de nada. Si supieran alguna cosa, ¿estarían empleados en un ministerio? El doctor Dekker camina por pasillos largos, da vueltas, cruza patios, abre y cierra puertas, hace preguntas a los porteros, se quita el sombrero ante oficiales primeros, segundos, terceros, cuartos y quintos, que se quedan mirándole, estupefactos, mientras dejan *El Imparcial* o *El Liberal* sobre la mesa. En una parte le dicen que allí no es donde ha de enterarse; en otra, que desconocen el asunto; en una tercera, que acaso lo sabrán en el negociado tal; en una cuarta, que "hoy precisamente, así al pronto, no pueden decir nada". Todas estas idas y venidas, saludos, preguntas, asombros, exclamaciones, dilaciones, subterfugios, cabildeos, evasivas, son como una senda escondida que conduce al doctor Dekker al descubrimiento de la suprema verdad, de la síntesis nacional, esto es, de que hay que *volver mañana.* Y entonces el ilustre doctor grita con más entusiasmo que nunca: *The best in the world!*, y luego echa mano de su cuaderno y apunta: *Dos horas.*

¿Podrá un extranjero que es filósofo, filólogo, numismático, arqueólogo, pasar por Madrid sin visitar nuestra Biblioteca Nacional?

El doctor Dekker recibe de manos de un portero

unas misteriosas y extrañas pinzas; luego apunta en una papeleta la obra que pide; el idioma en que la quiere, el tomo que desea, el número de las pinzas, su propio nombre y apellido, las señas de su casa; después espera un largo rato delante de una pequeña barandilla. ¿Está seguro el ilustre doctor de que la obra que ha pedido se titula como él lo ha dicho? ¿No se tratará, acaso, de esta otra, cuyo título le lee un bibliotecario en una papeleta que trae en la mano? ¿O es que tal vez el libro que él desea están encuadernándolo y no se ha puesto aún en el índice? ¿O quizá no sucederá que las papeletas estén cambiadas o que hay que mirar por el nombre del traductor en vez de empeñarse en buscar por el del autor? El bibliotecario, que busca y rebusca las señas de este libro, tiene una vaga idea... El doctor Dekker también tiene otra vaga idea, y escribe: *Treinta minutos.*

Pero es imposible detenerse en más averiguaciones; un amigo ha citado para tal hora al doctor Dekker, y el ilustre doctor sale precipitadamente para el punto de la cita. El insigne miembro del Real Colegio de Cirujanos de Londres ignora otra verdad fundamental de nuestra vida, otra pequeña síntesis nacional; y es que en Madrid un hombre discreto no debe acudir nunca a ninguna cita, y sobre no acudir, debe reprochar, además, su no asistencia a la persona que le ha citado, seguro de que esta persona le dará sus corteses excusas, puesto que ella no ha acudido tampoco. El doctor Dekker, al enterarse de este detalle trascendental, ha gritado de nuevo, henchido de emoción: *The best in the world!* Y al momento ha consignado en su cuaderno: *Cuarenta minutos.* ¿Habrá que decir también que el egregio doctor ha tenido que esperar a que pusieran la sopa, cuando ha regresado a su casa en demanda de su yantar, y que también ha escrito en su librillo: *Quince minutos*?

Nada más natural después de comer que ir a un café. Atravesar la Puerta del Sol es una grave empresa. Es preciso hendir grupos compactos en que se habla de la revolución social, sortear paseantes lentos que van de un lado para otro con paso sinuoso, echar a la izquierda, ladearse a la derecha, evitar un encontronazo, hacer largas esperas para poderse colar, al fin, por un resquicio... "Un hombre que viene detrás de mí —decía Montesquieu hablando de estos modernos tráfagos— me hace dar una media vuelta, y otro que cruza luego por delante me coloca de repente en el mismo sitio de donde el primero me había sacado. Yo no he caminado cien pasos y ya estoy más rendido que si hubiera hecho un viaje de seis leguas."

Montesquieu no conoció nuestra Puerta del Sol; pero el ilustre doctor Dekker la ha cruzado y recruzado múltiples veces. Desde la esquina de Preciados hasta la entrada de la calle Alcalá, estando libre el tránsito, podría tardarse, con andar sosegado, dos minutos; ahora se tarda seis. El doctor Dekker hiende penosamente la turba de cesantes, arbitristas, randas, demagogos, curas, chulos, policías, vendedores, y escribe en sus apuntes: *Cuatro minutos*. Y luego en el café, ya sentado ante la blanca mesa, un mozo tarda unos minutos en llegar a inquirir sus deseos; otros minutos pasan antes de que el mismo mozo aporte los apechusques del brebaje, y muchos otros minutos transcurren también antes de que el echador se percate de que ha de cumplir con la digna representación que ostenta. El doctor Dekker se siente conmovido. *Doce minutos*, consigna en su cartera, y sale a la calle.

¿Relataremos, punto por punto, todos los lances

que le acontecen? En una tienda donde ha dado un billete de cinco duros para que cobrasen lo comprado, tardan en entregarle la vuelta diez minutos, porque el chico —cosa corriente— ha tenido que salir con el billete a cambiarlo.

En un teatro, para ver la función anunciada a las ocho y media en punto, ha de esperar hasta las nueve y cuarto; si mientras tanto coge un periódico con objeto de enterarse de determinado asunto, la incongruencia, el desorden y la falta absoluta de proporciones con que nuestras hojas diarias están urdidas le hacen perder un largo rato. El doctor Dekker desborda de satisfacción íntima. ¿Os percatáis de la alegría del astrónomo que ve confirmadas sus intuiciones remotas, o del paleontólogo que acaba de reconstruir con un solo hueso la armazón de un monstruo milenario, o del epigrafista que ha dado con un terrible enigma grabado en una piedra medio desgastada por los siglos? El doctor Dekker ha comprobado, al fin, radiante de placer, los cálculos que él hiciera, por puras presunciones, en su despacho de Fish-street-Hill.

Y cuando de regreso a su modesto alojamiento madrileño, ya de madrugada, el sereno le hace aguardar media hora antes de franquearle la entrada, el eximio socio del Real Colegio de Cirujanos de Londres llega al colmo de su entusiasmo y grita por última vez, estentórea y jovialmente, pensando en este país, sin par en el planeta: *The best in the world!*

El famoso economista Novicow ha estudiado, en su libro *Los despilfarros de las sociedades modernas*, los infinitos lapsos de tiempo que en la época presente malgastamos en fórmulas gramaticales, en letras inútiles, impresas y escritas (195 millones de francos al año dice el autor que cuestan estas letras

140

a los ingleses y franceses), en cortesías, en complicaciones engorrosas de pesos, medidas y monedas. El doctor Dekker, original humorista y, a la vez, penetrante sociólogo, va a inaugurar, aplicando este método a los casos concretos de la vida diaria, una serie de interesantísimos estudios. Con este objeto ha llegado a España y marcha de una parte a otra todo el día con lápiz en ristre. Pronto podremos leer el primero de sus libros en proyecto: Se titula *The time they lose in Spain*; es decir, *El tiempo que se pierde en España*.

ÍNDICE